講談社文庫

女性署長ハマー(下)

パトリシア・コーンウェル|矢沢聖子 訳

講談社

●目　次

女性署長ハマー(下)

●主な登場人物〈女性署長ハマー〉

ジュディ・ハマー バージニア州警察署長
アンディ・ブラジル バージニア州警察官
ベッドフォード・クリム バージニア州知事
モード・クリム 知事夫人
レジャイナ・クリム 知事の末娘
ポニー 知事官邸の執事
メイジャー・トレーダー 州政府の報道担当官
ソルロ・マコヴィッチ 州警察官、知事専用機のパイロット
ウィンディ・ブリーズ ハマー署長の秘書
モーゼス・カスター トラックの運転手
ドクター・シャーマン・フォー タンジール島の巡回歯科医
フォニーボーイ タンジール島の少年
スモーク 札付きの不良
ユニーク スモークのガールフレンド
ポッサム スモークの手下
ドクター・ケイ・スカーペッタ バージニア州検屍局長
バービー・フォッグ 教会のカウンセラー
フーター・シュック 高速道路の料金徴収員
クルス・モラレス ニューヨークに住むメキシコ人の少年

18

救急隊員はつぶれた釣り具箱のそばで燻《くすぶ》っている身元不明の男に人工呼吸を試みようとはしなかった。なんとも不思議な遺体だった。黒焦げになっているのは胸だけで、ほかはなんともない。しかも、この不可思議な死の原因となりそうな火事は、その付近では一件も起こっていないのだ。

「心臓に火がついたみたいだな」スリッパ刑事は言った。「あるいは肺か。煙草を吸っててこんなふうになるものかな？」

「なにかのはずみに煙草の火が肺に燃え移ったってこと？」トリータ・ビッブは十五年救急車を運転しているが、こんな遺体を見たのは初めてだった。「まさか」しばらく考えてから自問自答した。「そんなことあるわけない。煙草はこの人の不運な死とは関係がないと思う」

救急車の女性運転手は、もっとよく見ようとしてしゃがんだ。「なんか胸のとこにクレーターがあって、それが噴火して背中まで燃えたみたいね。この大きな穴から舗道が見える。ほら」手袋をはめた手で黒焦げの胸に触れた。「胸の骨まで焼けちゃってるわ。でも、それ以外はなんともない」当惑とショックがこみあげてきた。いったいだれが、どうやって、なんのためにこんなことをしたのだろう。

たちまち周辺に車の列ができた。パレード見物でもするように道路際にずらりと並んでいる。野次馬や報道陣が集まってきて、警官が規制に苦労していた。釣りをしていた男が燃えて火の玉になったという噂が、あっというまにひろがっていた。それも、先日、トリッシュ・スラッシュの惨殺死体が発見されたベル・アイランドのそばのキャナル・ストリートで。

「なにかあったの?」バービー・フォッグという主婦が、ミニバンの開いた窓から聞いた。

「新聞を読んでくれ」警官が懐中電灯を振って進めと合図した。

「うちは新聞とってないの」

バービーは額に手をかざして懐中電灯のまぶしい光を避けながら、空を見上げた。どうして街の上空を大型ヘリコプターが何機も飛んでいるのだろう。「凶悪な連続殺人犯が脱走したんじゃないの?」とたんに寒気がしてメッシュを入れた髪が逆立った。「ついこの前、女の人が殺されたでしょ。きっとあの犯人よ。なんて恐ろしい。なのに、わたしは自分や家族を守ることもできないんだわ。新聞とってないし、警察はなにも教えてくれないし。これじや、警察は市民に嫌われるわけよ」

バービーのミニバンが通りすぎると、また次の車がとまった。ドライバーは視力の衰えた年配の女性だった。

「ダウンタウン高速道路に出たいんだけど」ラモニアという名のおばあさんは、懐中電灯を振っている警官に言った。「聖歌隊の練習に遅刻しそうなの。いったいこの騒ぎはなに？」

ラモニアは窓から首を出して、ブラック・ホークが何機も飛んでいる方向を見上げた。目はよく見えないが、耳はまだ聞こえる。

「戦争でも起こったみたいだけど」

「ちょっと厄介なことになっただけだ」警官が答えた。「ダウンタウン高速道路はあっちだよ」と、懐中電灯で方向を示す。「八番通りを左折すると、右側にすぐぶつかるから」

「前にもぶつかったことがあるの」ラモニアは困った顔で恥ずかしそうに打ち明けた。「去年、ガードレールに。ほんとうは、夜はもう運転してはいけないの。暗くなるとよけいに見えないから。でもねえ、聖歌隊の練習は夜だし、休んでばかりいたらおいてもらえないし。だって、わたしの人生に残されたのはもうこれだけなんだもの。主人は二年前に亡くなってしまったし、かわいがってた猫も車をバックしてたら、うっかり轢《ひ》いてしまって……」

「車を寄せてもらったほうがよさそうだな」

ラモニアは不自由な目で左右を見まわした。ぽつんとひとつ明かりが見えると、反射的に、定期的に受けている目の検査のことを思い出した。機械の真ん中に顔を当てて、小さな明かりが視野に入るたびにボタンを押すのだが、先週もいつものようにでたらめにボタンを押して、またなんとかごまかすつもりだった。

「ちゃんとわかってるんですよ」眼科医はラモニアの瞳孔に目薬を差しながら言った。「ときどきいるんです、こういう人が」

「またレーザー手術を受けたらどうかしら？」

眼科医の話では、夜もちゃんと見えるようになる望みはないということだった。これまでまがりなりにもやってこられたのは、ラモニアの記憶力のおかげで、ポーチの階段が何段あるか、家具がどこにあるか覚えていたからだ。闇のなかでも、どのシャツやどのドレスを着るか手探りで判断できるが、夜間の運転となると話は別だった。道路そのものは変わっていなくても、走っている車が急に車線を変えたり急停車したり、歩行者が道路を横断しようとしたりする。こういうことをくどくどと説明しているうちに、警官はいつのまにかいなくなっていた。

「懐中電灯を振って合図してくれたら、それについて片側に車を寄せるわ」ラモニアがそう言ったとき、また上空で轟音がして、ヘリコプターが低空飛行しながら事件の現場をサーチライトで照らし出した。

ラモニアはそれが合図だと思って車を出した。道路の縁石に乗り上げたかと思うと、タイヤがなにかを押しつぶす音がした。

「どうしたのかしら？」ラモニアはつぶやいた。タイヤに押しつぶされた担架が川に落ちた次の瞬間、ラモニアのダッジ・ダートが救急車に追突した。

「ストップ！　ストップ！」まわりでいくつもの声が叫んだ。

車はもう止まっていたが、ラモニアはあわてふためいてブレーキを力いっぱい踏んだ。そして、バックに切り替えて、テープで囲ってある犯行現場に乗り入れてしまった。右のリアタイヤがまたなにかにぶつかった。

「ストップ！」叫び声が半狂乱になった。「ストップ！」


マコヴィッチ州警察官がトランクいっぱいに円錐形の道路標識と発煙筒を積んで現れたのを見て、フーター・シュックはなにかあったらしいとぴんときた。

「ちょっと、そっちの車線全部封鎖したりして、なにしてるの？」フーターは呼びかけた。鮮やかなオレンジ色の円錐形の標識を見ると、子どものころよく遊んだ「キャップ・ザ・ハット」というゲームを思い出した。

「検問所をつくってるんだ」マコヴィッチは北一五〇号線に標識と発煙筒を並べながら言った。この四車線の州間高速道路《インターステート》は、市の中心街とつながっていて交通量も多い。

フーターは好奇心と不安の入り交じった気持ちで、マコヴィッチがオレンジ色の標識と発煙筒で車線をふさぐのを見守っていた。そこをふさがれてしまうと、北行きの車はすべてフーターの窓口に来て、手袋をはめた彼女の手に通行料金を渡すことになる。フーターはこの料金所では古株で、料金を受け取るのに使い捨ての手袋をはめる必要のなかった時代のことも覚えている。当初の使い捨て手袋ときたら、アクリル樹脂のつけ爪にちょっと引っかけただけですぐ破れてしまった。最近では、みんなドライバーの手に触れるのをこわがっているけれど、ほんとうは、お札や硬貨のほうが赤の他人の手よりずっと汚いのに。

お金は数えきれないほどの人の手に渡るし、地面に落ちたり、汚い財布や小銭入れのなかでほかのお金に触れる。硬貨はポケットのなかでじゃらじゃらとぶつかり合うし、そのポケットのついた服は一度も洗濯したことがないかもしれない。お札は通気性があるから、スポンジのように黴菌《ばいきん》を吸収する。地元のトップレスバーでは、客がチップのお札をわずかに体を覆っているだけのダンサーのコスチュームに押し込むというから、病気を持った体の一部に直接触れるわけだ。

お金がどれほど汚いものかという話なら、フーターは何週間でもしゃべり続けられそうだった。だから、手袋の使用が決まったときはうれしかったし、爪がはがれないようにコットンの手袋に替えても市当局から文句をつけられないとわかったときは安心したものだ。それでも、手袋をはめた手を料金所から突き出すのは、なんだか悪いような気がした。通行者をチフス菌をばらまいた料理人「チフスのメリー」扱いしているみたいで。勤務ごとに何千人ものドライバーを相手にするから、手袋をはめているのは彼らのためではなく不衛生な流通機構のためだといちいち説明している暇はなかった。

「黴菌か」マコヴィッチは煙草を吸いながら言った。次の車が来るまでのあいだ料金所の前に立って、窓越しにフーターと雑談していたのだ。「最近は、なんでもかんでも黴菌だよな。人工呼吸の訓練で等身大のゴム人形使ったときのこと思い出すよ。前にやったやつがゴムの口拭いといてくれりゃ、御《おん》の字《じ》というもんさ。ゴムの鼻つまんで、自分の口をゴムの口につけて息を吹き込むんだからな。現場に駆けつけて、だれかが気を失って、ひどく出血してたら、まず二重の手袋はめて、そいつの顔の真ん中に穴のあいたビニールシートをかぶせるんだ。公衆便所においてある使い捨ての便座シートみたいなやつだ。そいつが顔の前でくしゃみしたり、ゲロ吐いたり、暴れまわったりしなきゃ、ラッキーだよ。あとはエイズじゃないことを祈るだけだ」

「エイズはお金からもうつるのよ」フーターはうなずきながら言った。「ホモの人がホモの人とどっかの公園でセックスして、手も洗わないで、サンドイッチ買って五ドル札出すかもしれないでしょ。その五ドル札が何百枚という不潔なお札といっしょにレジの引き出しにしまわれて、銀行に預けられたとき、エイズで死にかけてる人が小切手を現金に換えにくるかもしれないでしょ。それから、その五ドル札がどっかの不潔なバーに持ってかれて、そこのウエーターが汚いポケットに突っ込んで、ダウンタウンまでドライブして、この窓口にまわってくるわけ」

「なるほどな」マコヴィッチは考え込みながら言った。だんだん不安になって、二度とお金をさわれないような気がしてきた。「物を買うなら、朝も昼も夜も手袋はめとかないとな。違反切符切るときに金を直接受け取らずにすんでやれやれだ」

「そうよ、あんたの仕事なんか気楽なもんよ」

マコヴィッチは道路に出て、近づいてくるポンティアック・グランプリに向かって懐中電灯を振った。古い型の車で、あちこちへこんでいる。ニューヨーク・ナンバーと期限の切れた点検証を見て、マコヴィッチの動悸が速くなった。運転席のドアに近づきながら、念のためにホルスターのスナップ・リリースに手をかけた。

「免許証と登録証を見せてくれ」窓ガラスがおりると、彼は言った。懐中電灯の光のなかに怯《おび》えた顔のメキシコ人の少年がいた。免許をとれる年齢に達しているようには見えないし、明らかに不法滞在者だ。「英語はしゃべれるか？」

「うん《シー》」だが、免許証も登録証も取り出す気配がない。

「ほんとに英語がわかるのかって聞いてみたら？」フーターが料金所から大きな声で言った。なかにはスツールと消火器以外にはなにもない。あとは彼女の人工皮革のハンドバッグが置いてあるだけだ。

マコヴィッチが言われたとおりに質問すると、メキシコ人の少年は懐中電灯のまぶしい光から目を逸《そ》らせた。

「ノー」少年はいっそう怯えた顔で答えた。

「わからないって？」マコヴィッチは眉をひそめた。

「英語がわからないなら、なんでおれが英語がわかるかと聞いてるのがわかるんだ？」

「クレオ・ク・ノ」

「なんて言ってるんだ？」マコヴィッチがフーターを振り返ると、彼女は料金所から出てくるところだった。

「どうせ道路はこの大きなポンティアックとあんたにふさがれてるから、出てもいいんじゃないかと思って」そう言うと、フーターはドアを開けて出てきた。

「こいつがそう言ったのか？」マコヴィッチはとまどった。「車から出てもいいんじゃないかと思ったって？　協力する気なんてぜんぜんなさそうだけどな」

フーターはろくろく耳を貸さずに、六インチもある赤いハイヒールでアスファルトの上に危なっかしく立つと、オーバーのボタンをかけ、ポケットから口紅を取り出した。料金徴収員のいいところは、つねに人目にさらされていることだ。フーターはおしゃれが大好きで、いつも化粧くずれに気をつけていて、縮れた髪はカラフルなビーズといっしょにきれいに編み込んであった。

「協力しなくちゃだめだよ」フーターはメキシコ人の少年を窓からのぞき込んだ。「このでかいおまわりさんの言うことときいたほうがいいよ。だれもなにもしようなんて思っちゃいないけど、いま容疑者を探してて、それがあんただって可能性もあるでしょ。だから、ちゃんと協力して、面倒を起こさないのが身のためだから……」

「こいつにそんなこと言っても無駄だよ、フーター」マコヴィッチは彼女の耳元で言った。香水のにおいが鼻腔をくすぐり、頭の芯までひろがった。「この香水は?」

「プワゾン」フーターは彼が気づいたのがうれしそうだった。「ターゲットで買ったの」

「なんで容疑者を探してるって知ってるんだ?」彼はもう一度香水に向かってささやいた。

「わかるわよ、それぐらい。検問って聞いたら」フーターは言った。「あたしがきのう生まれたとでも思ってるの? これでもここは長いのよ。この料金所のシニア・オペレーターなんだから」

「いや、甘くみるとか、そういうつもりじゃなかったんだ。なんたってシニア・オペレーターなんだもんな」マコヴィッチはからかった。

「あたしをばかにしてるの?」

「とんでもない。おれはだれにもばかにしたような口はきかないし、あんたみたいな美人ならなおさらだ。どうだい、仕事が終わったら、どっかで一杯やらないか?」マコヴィッチはヘリコプターの操縦訓練のあとでキャットから受け取った手の切れるような百ドル札を思い浮かべて、内心でにんまりした。

メキシコ人の少年は運転席で固まって、見開いた目の上に手をかざしていた。もう一方の手は関節が白くなるほどぎゅっとハンドルを握りしめている。

「ポル・ファボル」少年はマコヴィッチとフーターを見上げた。「ノ・ブエナ・アルモニア」

クルス・モラレスは英語はほんの少ししかわからなかったが、簡単なスペイン語の単語を並べれば、ニューヨークの人はたいていすぐわかってくれた。だが、この警官と料金所の女の人はそういうわけにはいかないらしい。それに、これ以上調べられると、やばいことになる。クルスは十二歳で、にせものの身分証明書を持って、兄たちのためにリッチモンドまで荷物を受け取りに行ってきたところだった。トランクに隠してある包みの中身は見ていないが、重さからすると、たぶんまた拳銃だろう。

「この子は貧乏で、なにか頼みたいことがあるみたい」フーターがマコヴィッチのために通訳した。「こんな小さな子が悪いことするとは思えないけど」母性本能が香水のにおいとともに漂ってくる。「ソーダ水かコーヒーでも飲ませてやったらどうかしら。メキシコ人って、赤ん坊のころからコーヒー飲むらしいわ」

この瞬間、クルス・モラレスには、この料金所の女の人の金の前歯が光り輝いて見えた。彼女の目をとらえると、歯をがたがた鳴らしながら、かすかにほほ笑んでみせた。

「ほらね」フーターはマコヴィッチを小突こうとして、彼のピストルに肘をぶつけた。「やさしくすれば、この子にもわかるのよ。ねえ、もういいでしょ」

フーターは顔をあげて、自分の料金所のある車線に何マイルも車の列ができているのに気づいた。そして、辛抱強く待っている車のヘッドライトの列を見ると、すっかり舞い上がってしまって、この人たちはみんなあたしを見に来たのだと思い込んだ。一瞬、映画スターになったような錯覚に陥って、このメキシコ人の男の子に対する同情がますます深まった。故郷を遠く離れた異国の地で怯えているかわいそうな小さな男の子。寒さに震え、疲れきって、おなかをすかせているのだろう。

フーターはコートのポケットをごそごそやって、何本もの口紅の下からナプキンを一枚引っ張り出した。去年、紙袋を頭からすっぽりかぶった強盗が料金所に押し入ろうとしたあげく入り口のドアにぶつかったとき、駆けつけたハンサムな州警察官にもらったものだ。ペンを探し出してカチッとペン先を出すと、ナプキンに自宅の電話番号を書いて男の子に渡した。

「困ったことがあったら、いつでも電話してね」フーターはやさしく言った。「少数民族がどんな思いしてるか、よくわかってるから。せっせと不潔なお金集めたり、点検証の期限が切れてるのに気づかなかったりしただけで、なんか悪いことしてるんじゃないかって疑われるのよね」

「車から出ろ」マコヴィッチは不法滞在者に命じた。「ゆっくりおりて、両手を見せろ」

クルス・モラレスは力いっぱいアクセルを踏んでタイヤをきしませながら車を出した。自動料金徴収装置のライトがつき、ブザーが鳴った。料金箱に七十五セント投げ込む暇がなかったからだ。

「くそっ！」マコヴィッチは叫ぶと、警察官の七つ道具をぶらさげたベルトを叩いて、キーを探すと、覆面パトカーに飛び乗った。

サイレンを鳴らし警告灯を点滅させながら州間高速道路を遠ざかっていくパトカーを見て、フータは騒々しいクリスマスツリーのようだと思った。特注のアルミニウム製の料金所のブースに戻り、少々のことでは壊れないステンレススチールの料金箱の前にすわると、耐久性抜群のドアを閉めた。果てしなく続くヘッドライト行列がのろのろとこちらに向かってくる。さんざん待たされて頭にきたドライバーたちに当たり散らされないといいんだけど。

「どうなってるんだ？」最初のドライバーが、ピックアップトラックの高い運転席から聞いた。「これ以上待たされたら、干からびてしまうよ」

「だめよ、家であんたを待ってる美人のガールフレンドを泣かせるようなことしちゃ」フータは笑顔を向けながらからかった。「その虹のバンパーステッカーすてきね」フロントガラスを身振りでさした。「最近、そういうのよく見かけるわ。みんな、なんか希望が持てるような明るいものが欲しいのかもね。そういうのがあったら、あたしもこの料金所に貼っとくんだけど」

ピックアップのドライバーは、かがんでグローブボックスを開けた。「ほら」虹のバンパーステッカーをひと束差し出した。「あんたにやるよ」

「ほらね」虹のバンパーステッカーをつけたピックアップトラックが走り去ると、フーターは次の車のドライバーに話しかけた。「人に親切にすると、それが黴菌みたいに伝染するのよ。それに、親切にしたって病気にならないしね」手袋をはめた手でバービー・フォッグから一ドル札を受け取った。

「どうしてこんなに渋滞したか知ってる?」バービーは言った。「川のそばでだれか吹き飛ばされたんですって。ラジオで聞いたわ」

「それほんと?」フーターは二十五セントの釣りを渡し、七十五セントを料金箱に入れた。「ここにはラジオはないのよ、聞いてる暇ないから。なにがあったって?」

後続車がいっせいにクラクションを鳴らした。州間高速道路は北に向かうカナダ雁《がん》の群れに占領されたようになった。

「警察はなにも教えてくれないのよ。あした新聞読めばわかるからって」バービーは言った。「だけど、うちは新聞とってないから、くわしいことはわからないわ」

「あした、ここに来ればいいじゃないの」フーターはさも重要なことのように言った。「あたし、いつも仕事に出る前に新聞読むから。教えてあげる。あんた、なんていうの?」

二人は名前を教え合い、フーターは虹のバンパーステッカーを一枚バービーに差し出した。

「ミニバンに貼って。あんたのまわりの人たちに笑顔と希望を運んでくるわ」

「まあ、ありがとう」バービーは感激した。「家に帰ったら、すぐ貼るわ」

19

クリム知事はお気に入りのキューのタップにチョークをつけた。光輪のような葉巻の煙をたなびかせながら、赤いフェルトを張ったビリヤード・テーブルの上にある縞模様の球を見分けようとしている。このテーブルはトマス・ジェファーソンがフランスから持ち帰ったものだ。少なくとも、モードはこれをインターネットのオークション・サイトで見つけて、そう主張していた。五分おきに州警察官がビリヤード室に入ってきて、その後の経過を報告した。ぱっとしないニュースばかりだった。

料金所での検問の成果は、ニューヨーク・ナンバーの車を一台発見しただけで、明らかにヒスパニックとわかるそのドライバーは逃走した。いまのところ、まだつかまっていない。その男——凶悪連続殺人犯は町を出て北に向かっているというのが、全員の一致した意見だった。ほかにも、トルーパー・トゥルースが最新のコラムで、メイジャー・トレーダーは不実で利己的な悪党であり、知事の毒殺をたくらんでいると発表したというニュースもあった。それだけでもいいかげんうんざりなのに、レジャイナがチッペンデール風のアームチェアにすわり込んで、厨房で見つけた手作りチョコチップクッキーをそえたアイスクリームを食べていた。ぱくぱく食べながらもひっきりなしにしゃべっているので、知事は気が散って、拡大鏡越しに球を追おうとしてもなかなかうまくいかなかった。

「グッド・ショット」赤い縞の球がバウンドしてテーブルから飛び出すと、アンディは言った。さっと拾い上げて、如才なくコーナーのポケットに押し込む。

「わたしを勝たせるつもりなんだろう？」知事はそう言うと、またキューにチョークをつけた。

「みんなお父さまを勝たせてくれるのよ」レジャイナが言った。「あたしは別だけど。あたしはそんなことしない」

レジャイナはビリヤードの名手で、父親が知事の任期を満了してまた再選されるまでのあいだ、自由に好きなところに行けるときは、街のビリヤード場で凄腕の冷酷なプレーヤーとして有名だった。ずるい手を使わずに彼女を負かしたのは、あの気の利かない間抜けなマコヴィッチ警察官だけだ。

「どうぞ」アンディはレジャイナにキューを渡した。「今夜はどうもだめだ。あとはお願いします。失礼な質問かもしれませんが」レジャイナが球をラックに並べるのを見ながら、アンディは知事に話しかけた。「トレーダーはどうして知事の下で働くようになったんですか?」

「いい質問だ」知事は言った。「あれはわたしの第一期目だった。いまでもよく覚えているよ。あの男は社会的地位はなかったが、官邸にまめに出入りして、なにかと役に立ってくれた。ここで働いている囚人たちの監督をしたり、ほかの人間があまりしたがらない仕事もよくやっていた」

レジャイナがキューを突くと、四つの球がすっと滑って、それぞれ別のポケットに落ちた。「くそっ」レジャイナはぼやいた。「あたしも今夜はだめみたい」

ポニーはさっきからブランデーのお代わりでもないかと様子を見にきていたが、知事が「ここで働いている囚人たち」と言ったのを聞いた。ポニーは傷ついた。いったん重罪の宣告を受けると、その人間はどれだけ努力しても二度と信用してもらえないのだ。知事官邸で働いているうちに、それをいやというほど思い知らされた。

「葉巻をお持ちしましょうか?」ポニーはいつになくつっけんどんな口調で知事に聞いた。

レジャイナはキューを背後にまわしたまま球を突いて、それを二つの球に当て、三つの球を信じられないような角度からそれぞれポケットにおさめた。

「正直なところ、わたしを毒殺しようとしたと聞いて、あの男にはがっかりしている」知事はまた言った。「こうなったら、毒見役を復活させるかな。手始めに、あいつをその役につけるか」

「つかまればの話ですね」アンディは言った。「逃亡をはかるか、おそらく、すでに姿を消しているかでしょう。いまのところこれといった確証がないのが残念です。それさえあれば、まだ官邸にいるうちに逮捕できたのに」

「トルーパー・トゥルースは確証があるような口ぶりらしいが」クリムは皮肉な声で言った。「どうも、あの裏切り者のコラムニストはトレーダーの共犯者ではないかという気がするんだ。そうでなければ、わたしを毒殺しようとしたことをどうして知っているんだ？　そうじゃないかね？」

アンディはまさか知事がそんな推理をするとは予想していなかった。そして、少し不安になった。もしハマーが召喚されて、宣誓したうえでトルーパー・トゥルースの正体を知らないかと聞かれたとしたら、正直に答えるしかないだろうし、そうなったらアンディはただではすまなくなる。

クリムがアンディの心のなかを読んだように言った。「ハマー署長に会って聞いたほうがよさそうだな」

「署長は喜んでお目にかかると思いますよ、知事」アンディは言った。「これまで何度お電話しても連絡がとれなかったそうですから」

「連絡がとれなかった？」知事はアンディに拡大された目を向けた。「何度もカードを出したぞ、彼女の犬がいなくなったときも。それに、会合にも招待した」

「署長の手元には届いていません」

「あのトレーダーのやつが小細工を弄《ろう》したんだな」さすがの知事もだんだん腹が立ってきたようだ。

「最初からずっとそうだったようです」

「新しい葉巻をもらおうか」知事はまだ戸口で辛抱強く待っているポニーに言った。

そして、半分しか吸っていない葉巻を、灰皿と間違えてレジャイナのアイスクリームの皿に押しつけた。スポーツとはおよそ縁のなさそうに見える娘が、いとも楽々と続けざまに球をポケットに沈めるのを見ているうちに、いらいらしてきた。

「だから、おまえとはやりたくないんだ」クリムは娘に言った。「気が散って球も打てん。おまえとはいっしょにいないほうがいいらしいな。それでだ、わたしがなにを考えているかわかるかな？」知事はアンディに聞いた。「きみに特別の任務をあたえようと思う。秘密調査をしてほしい。トルーパー・トゥルースの正体を早急に突きとめて、トレーダーとのつながりも探ってもらいたい。その一方で、あの歯科医を救出して、タンジール島民がこれ以上の暴挙に出ないようにしたい」

「あたしもその特別任務につけてくれない？　この人を助けて、事件を捜査したり、街から悪人追っ払ったりしたいの」レジャイナが打った最後の球は的確にフェルトの上をすべり、何度もクッションにぶつかってから、視野から消えた。「この人からヘリコプターの操縦を習ってもいいし」

「ミス・レジーナとミスター・アンディがいらしたら、あの焼け死んだ釣り人も少しは浮かばれたでしょうに」ポニーが戸口から言った。「なんとも大変なことになっているようです。どっかのおばあさんが死体を轢いてしまったとか。自転車や釣り具箱もいっしょに。警官たちが話してるのを聞いたんですが、あの凶悪なヒスパニックは逃亡中で、また不運な黒人が同じ方法で殺されるだろうということでした」

「同じようにとは？」知事が聞いた。

「自然発火でございます」

「なるほど。そのうちドクター・サワマツが決着をつけてくれるだろう」クリムはそう言っただけだった。

ドクター・サワマツを州の検屍官に採用したのはクリム自身で、彼はこの日本人ドクターに全幅の信頼を寄せていた。もともとドクター・サワマツは銃創の研究のためにバージニア州に留学して、いずれ日本に帰るつもりだったのだが、交通地獄や狭い日本での暮らしに嫌気がさして、留学期間が終わってからもバージニアにとどまった。日本企業や日本人観光客の誘致を考えていた知事は、ある日、ドクター・サワマツに電話した。

「ドクター・サワマツ」この呼びかけに続いた知事の言葉を、ドクターは一生忘れないだろう。「あなたの率直な意見を聞かせていただきたい。ご承知のように、バージニア州の検屍局長は女性だが、わたしは彼女をあまり買っていない。彼女の下で働いているのは全員アメリカ人だが、日本人の検屍官を採用することで、事情が一変するんじゃないだろうか?」

「だれにとってです?」

「移転を検討している日本の大企業にとって。わが州は移転先の候補に入っていないようだが、これで事情が変わるかもしれない。そして、一般の日本人にとってもバージニア州のイメージが変わるのではないだろうか。わが州には、植民地時代の中心都市ウィリアムズバーグやジェームズタウン、数多いテーマパークやリゾートがある。まだ訪れたことのない日本人におおぜい来てもらいたい。英語がしゃべれれば問題はないし、日本人はみんなしゃべれるそうだから」

ドクター・サワマツはめまぐるしく頭を働かせた。アメリカで検屍官になれるチャンスなどそうそうあるものではない。しかし、彼の患者には実業界や観光業界の大物などいないし、モルグ(死体公示所)に運び込まれる前でも後でも、その種の影響力を行使できる人間などいなかった。

「特別センセーショナルな事件が起こったら、事情が一変するかもしれませんね」ドクター・サワマツは言った。「マスコミがどんどん報道するでしょうから、検屍官がアジア人だとみんなにわかるかもしれない。そうなったら、日本人もお返しに企業を当地に移転したり、観光旅行に来たりするかもしれません。しかし、それには税制上の優遇措置がなければ」

「税制上の優遇措置？」

「ええ、寛大な措置を」

「これはまた異例な提案だな」知事は電話を切るとすぐ、州政府の役人たちを集めて、日本の企業および民間人は州税を免除するという計画を発表した。その効力は絶大だった。一年とたたないうちに観光業界は好況の波に乗った。鉄道やグレイハウンドバスは人員やバスを倍増し、あちこちの街角にカメラショップができた。ドクター・サワマツは副検屍局長になり、知事じきじきに感謝状を受け取った。この若い医者はそれを額に入れて居間に飾ったが、そのそばには死亡した患者たちの記念品をおさめたショーケースもあった。もはや使い道のなくなった義歯や義足、遺書や脅迫状、事故現場の遺留品や武器などのコレクションである。

「とにかく遺体を移そう」ドクター・サワマツは、闇のなかにうずくまって手袋をはめながら警察関係者に言った。「またかだれかに轢かれないうちに」

「局長はどうしたんですか？」スリッパ刑事が聞いた。彼はドクター・サワマツの技量に関しては知事とは見解を異にしていた。「どうしてドクター・スカーペッタが来ないんです？

センセーショナルな難事件の現場にはいつも飛んできてくれるのに」

「証人として出廷するためにハリファクスに行っている。夜中まで戻らない」ドクター・サワマツはつっけんどんに答えた。「そんなことより、早くこの遺体をモルグに運ぼう」

「担架を川から引き上げられるかどうかわからないんです」スリッパ刑事は無念そうに言った。「潜水夫を連れてこないと無理かな」

「そんな時間はない。シーツでくるんで救急車に運んだらいいだろう。朝になったら調べる。こんなところではなにも見えない」

「よかった」ラモニアが憮然《ぶぜん》としてつぶやいた。「見えないのはわたしだけじゃなくて」

ラモニアは手錠をかけられ、へこんだダッジ・ダートのそばにしょんぼりと立っていた。どうしてこんなにみんなから怒られなければならないのか理解できなかった。もちろん、みんなといってもトレーダーだけは例外だった。さっきから粉々になったフロントガラス越しに現場の様子をこっそりうかがっていたトレーダーは、犯行現場を事実上破壊してくれたラモニアに心から感謝していた。トレーダーは一時間ほど前に現場に舞い戻ってきて、橋の上から強力な懐中電灯で川を照らしながら、あのカニたちとマスを探していたのだが、結局、一匹も見つけられなかった。検屍官と救急隊員がシーザー・フェンダーの遺体をシーツにくるんで救急車に乗せるのをそっと見守りながら、トレーダーはなぜたった一日で運命が急変したのだろうと嘆いた。

これでキャリアも人生もめちゃめちゃになったが、正直に認めるなら、もともとそういう人生だったのだと彼は心のなかで思った。ルームミラーをのぞくと、そこには母方の祖父そっくりな顔が映っていた。この祖父もメイジャーという名で、母方の男たちは代々この名を受け継いできた。初代のアン・ボニーが海賊とのあいだにできた息子をメイジャーと名づけたのが始まりで、少佐《メイジャー》は大尉《キャプテン》より位が上で、海賊には船長《キャプテン》より上の位はなかったからだ。

代々のメイジャーはみんなよく似ていた。がっしりした体格で、赤ら顔、太鼓腹に禿げかかった頭、薄青い目はいつも落ち着きなく動いていた。子ども時代のトレーダーには放火癖があったが、見つかったことは一度もなかった。タンジール島の人々は、今日にいたるまで、カニの養殖場の小屋に火をつけたのが幼い日のトレーダーだったことを知らない。何千という脱皮中のカニが焼け死に、その年のカニの水揚げはがた落ちで、島の経済は壊滅的な打撃を受けた。しかも、運悪く、火事は入江沿いにひろがって、何十隻もの漁船を灰にしたあげく、ヒルダ・クロケットのチェサピークハウスのすぐそばでようやく鎮火した。火があと少しでもひろがっていたら、家族的な長いテーブル、カニコロッケやクラム・フリッターや自家製のパンやハムで有名な島の名物レストランは、現在はなかったところだった。

メイジャー・トレーダーには盗癖もあって、父親が酒の隠し場所にしていた腰まで届く長靴から、トレーダー家に代々伝わるフレアガンを盗み出したこともあった。そして、ライター燃料やガソリンやバーボンウイスキーでいろいろ実験した結果、牛乳壜に引火性の高い液体を入れてフレアガンを撃つと、離れたところからでもちょっとした爆発を起こせることを発見した。それをはからずもあの釣り人で実証することになったのだった。

ポニーも若いころは無頼な生活を送ってきたが、トレーダーと違って、いまではそのことを深く反省していた。レジャイナがビリヤードをしているそばで、知事が所在なさそうに突っ立って、灰皿だと思い込んでいろいろなものに葉巻を押しつけるのを眺めるのに飽きると、ポニーとアンディは連れ立って庭に出て、冷たい御影石《みかげいし》のベンチに腰をおろした。

「なにか飲み物でもお持ちしましょうか、ミスター・アンディ」

「ぼくにまでそんなに気をつかわないでいいよ。それより、ひとつ身の上話でも聞かせてくれないか？　どうしてポニーと名乗るようになったのかとか」

「これは本名なんです」執事は言った。吐く息が白く宙に浮かぶと、急に煙草が吸いたくなった。「かまいませんか？」とアンディに断ってから、白い上着から煙草の箱を取り出した。

「親父がつけたんですよ。わたしには姉がいましてね。小馬《ポニー》が欲しいとしょっちゅうねだってたそうです。もちろん、うちにはそんな金なんかありません。それで三年ほどあとにわたしが生まれたとき、親父はポニーと名づけて、姉に言ったんです、『ほら、ポニーだよ』ってね」

アンディはなにも言えなかった。これが心温まる話なのか、とんでもない話なのか判断がつかなかったからだ。

「名前ではあんまりいいことなかったですよ、正直言って」ポニーは続けた。「ムショの仲間にもさんざんからかわれて。とうとう頭にきて、シャワー室でおれに乗っかろうなんて不埒《らち》なことを考えたら、血を見ることになるぞと脅《おど》してやりましたがね」首を振りながら苦笑すると、暗がりで金歯が何本もきらりと光った。「これでも昔はずいぶん暴れましたからね。見かけより強いんですよ。若いころはボクシングをやってたし、カラテもできるんです」

「ここはもう長いの？」アンディは聞いた。

「あと二年は働かないと。知事が放免してくれれば別ですが。もうあきらめてますよ。幸か不幸か、知事一家には気に入ってもらっているようで。慣れた人間のほうがいいんでしょう。かといって、ここで働かないと刑務所に戻るだけだから、どっちに転んでも希望はないんです」そう言うと、彼は煙草の灰を落とした。「あの煙草さえ盗まなかったら、こんなことにはならなかったのに」首を振ってため息をついた。

「煙草を盗んでぶちこまれたのか？」アンディは信じられなかった。

ポニーはうなずいた。「それで仮釈放が取り消しになったんです。その前は、ＡＢＣストアからアプリコット・ブランデーの二パイント壜を二本盗んで。どうだっていいようなことで人生棒に振ってきたんです。血筋でして」

「ものを盗むのが？」

「墓穴を掘るのが。そういうあなたは？」

アンディは人からプライベートな質問をされることはめったになかったし、もともと他人に自分のことを打ち明けるタイプではなかった。

「今度はあなたのことを聞かせてくださいよ、ミスター・アンディ。ガールフレンドはいるんでしょう？　だれか特別の人がいるんですか？」

アンディは冬の制服の上着のポケットに両手を入れて、時ならぬ寒さに背を丸めた。頭上ではヘリコプターが夜空を旋回している。雲が流れて、細い月が現れた。

「いまはだれもいない」アンディは答えた。「シャーロットで知り合った年上の女性とときどき会っていたけれど、もう終わった」

「その人はいまもシャーロットにいるんですね？」

「さあ。ぼくは友達でいたのに、彼女はそうじゃなかったんだ。わからないよ、女は」アンディは打ち明けた。「男はすぐ友達以上のものを求めると言うくせに、友達でいようとすると、それも気に入らないらしい」

「おっしゃるとおりですよ」ポニーはゆっくりうなずいた。「よくわかります。女ってやつは、どうしてほしいのか、なにが言いたいのか、はっきり言わないし、自分でも認めようとしない。したくないことは文句を言うし、煮え切らないやつだと思われるのは嫌がるくせに。まあ、結局は、男をじらして喜んでるんでしょうよ。うちの女房は気のいいやつですが、知事一家の洗濯物でくたくたになったり、わたしが休暇や祭日に刑務所に戻されると、手がつけられなくなるんです。でもまあ、あいつからしてみれば、わたしだっていいかげんなもんでしょうから。

たまにあいつにこう言ってやればいいのかと思うんですよ。『心から愛してるよ』とか『きょうのおまえはほんとにきれいだ』とか『すまないと思ってるんだよ。おれたちのいちばんいい時代にほとんどおれが娑婆《しゃば》にいられなくて。離れていても、いつもおまえのことを思っているよ』とかね。きっと、わたしは人生をめちゃめちゃにしたことを認めたくないんでしょうな、女房にも自分にも。あなたにはこんな気持ちはおわかりにならんでしょうな」

ポニーは煙草を吸い込んだ。「もう手遅れでしょう。たぶん二度と娑婆には戻れない。知事は約束なんかすぐ忘れるし、その次の知事も、またその次もおんなじだ。それに、お恥ずかしい話ですが、わたしには官邸で面倒を起こすだけの才覚もないんです。いざこざを起こして首を切られたら、差別だといって州政府を訴えられるし、弁護士を頼んで法廷で争って、弁護士にわたしが模範囚で、矯正局のコンピューターになんか間違いがあったことを証明してもらって、晴れて自由の身になれるかもしれないのに。現実には、弁護士を頼む金もないし、訴訟を起こす理由もない。なにか悪いことでもできたら、万事いいほうに向くんですが」

「気持ちはよくわかるよ」アンディは慰《なぐさ》めた。「でも、いままでどおり正しいことをしたほうがいいと思う。報われないのはきみだけじゃない。さっき知事がトルーパー・トゥルースのことを言ったのを聞いていただろう？　トルーパー・トゥルースは正義感に燃えて、メイジャー・トレーダーの正体を暴露したのに、知事は彼がトレーダーの共犯者ではないかと疑っている」

「聞きましたよ。トルーパー・トゥルースはどんな人なんだろうなあ」ポニーはため息をついた。「すばらしい人みたいですね。それに、もうそろそろだれかがトレーダーの正体を暴かないと。あの男は腐ったリンゴみたいなやつで、なんの取り柄もないんだから。トルーパー・トゥルースがだれかわかればなあ。あの人なら矯正局のミスを突き止めてくれるだろうに」

「自分で矯正局に電話をかけてみたらどうだ？」アンディは勧めた。

「官邸から私用の電話はかけられないんです。第一、囚人の言うことなんかだれも聞いてくれませんよ。だれだって困ったことになったら、なにかの手違いだというんだから。その口だと思われるのがおちです」

いつのまにかレジャイナが柘植《つげ》の古木の陰で、二人の話を立ち聞きしていた。ビリヤードにも飽きて、コートを取りに行こうとしたのだが、急に思い立って庭に出て盗み聞きすることにしたのだ。もともと人をスパイするのは得意で、つねに役に立ちそうな情報を集めようとしていた。だが、アンディがポニーを慰めるのを聞いているうちに、心を動かされて、最初の目的を忘れてしまった。彼女自身、友達を作りたいと思って努力しても、いわれのない非難を受けて傷ついたことが何度もあったからだ。

レジャイナはがたがたと震えだした。吐く息が白い雲になって夜気《やき》に凍《こお》りついた。おなかの具合もおかしくなって、体のなかで腸がジグザグに動きながら、下水から吹き上がったような不気味な風をはらみ始めた。

「ぼくだったら、トルーパー・トゥルースにメールを出すな」アンディが言った。「どうしていつまでも釈放されないのか調べてほしいと頼む」

「そんなことをしてくれるでしょうか？」ポニーは柘植の古木が枝を揺らしながら煙をあげているのに気づいた。

「頼んでみなければわからないだろう」

「でも、メールも使えないんです」ポニーは煙を吐きながら揺れている古木を心配そうに見つめていた。そして、釣りをしていた男が燃え上がったという話を思い出して、ぎくりとした。「あの柘植の木、いまにも爆発しそうだ」彼が叫んだとき、茂みの向こうで鈍い爆発音が聞こえた。

アンディは石造りのベンチから飛び出して、煙をあげながら異臭を放っている茂みに走った。観念したレジャイナは木陰から出てきて、山のようにそびえ立った。

「ここでなにをしてるんです？」アンディは問い詰めた。

「捜査テクニックの練習」レジャイナは巨大なおなかを押さえながら言った。

「物陰に隠れて、いまにも爆発しそうになってですか、ミス・レジーナ」ほっとしたポニーが拍子抜けした声で言った。「一瞬どうしようかと思いましたよ。あの連続殺人犯が庭に鉄パイプ爆弾でも仕掛けて、みんな吹っ飛ぶんじゃないかって」

「ぼくはこれで」アンディがいとまを告げた。

「朝いちばんに迎えにきて。この事件の捜査を開始するから」レジャイナが言った。具合がよくないというのに、まるで空襲命令でも出すような張り切り方だ。「待ってるから早くきてよ」

「それは無理です」アンディは言った。「朝いちばんにモルグに行って、川で死んだ男の検屍に立ち会う予定だから。あんなものは見たくないでしょう。見て愉快なものじゃない」

「あら、見たいわ」レジャイナは不謹慎なほど好奇心をあらわにした。

「まともに見られるはずがないし、ショックから立ち直れないかもしれませんよ」アンディは思いとどまらせようとした。「動物の死骸に蠅《はえ》がたかっているのを見たことがありますか？　においが鼻にこびりついて、食事をしようとすると吐き気を催すんです。においだけじゃない。モルグで見るものや聞く音は並の神経ではとうてい耐えられない」

「行くわ」レジャイナはノーという答えは受けつけなかった。

アンディは暗い気持ちでダウンタウンに向かった。こんなことなら、ゆうべステーキハウスでクリム一家に会わなければよかった。いまこの世でだれよりも避けたい人間がいるとすれば、それはレジャイナなのに、どうやらあの女はどこまでもつきまとってくるつもりらしい。そのうえ、知事はトルーパー・トゥルースがトレーダーの共犯者だと思っているし、どこかの変質者が被害者の遺体にトルーパー・トゥルースと刻んで、犯行の証拠物をアンディの家に置いていった。

「かなり厄介な状況におちいったようです」アンディは自動車電話でジュディ・ハマーに訴えた。

「アンディ、いま何時だと思ってるの？」ハマーはぐっすり眠っていたところを電話で叩き起こされたのだ。「沈んだ声ね。なにがあったの？」

今夜もまたアンディはたまたまハマーの住むチャーチ・ヒルの近くまできていたので、ハマーはちょっと寄っていくように勧めたが、それとちょうど同じ時間に、島ではフォニーボーイが診療所にちょっと寄ってみることにした。ドクター・シャーマン・フォーは、折りたたみ椅子に腰かけて、目隠しされたまま震えていた。

「神さま、どうか奇跡を起こしてください。ほんのささやかな奇跡でかまいませんから」ドクター・フォーは祈っていた。「手のすいている天使にちょっとここに寄って、わたしを助け出させてくださらないでしょうか。けっしてお手間はとらせません、わたしなどよりあなたの助けが必要な人間や生き物がおおぜいいるのはわかっています。ですが、この島で縛られていたら、だれの役にも立つことができません。それに、肩は凝《こ》るし、金属製の椅子にずっとすわっていたら尻は痛くなるし。たったひとりの天使でいいんです。一時間か二時間、それだけあれば本土に戻れるでしょうから」

フォニーボーイは神経を集中して、そこにいることを相手に悟《さと》られないようにした。生まれたときから、急に動いたら魚やカニに逃げられてしまうことをよく知っていたからだ。カニは特別気がまわるし目もいい。針金で作ったカニ捕り籠はきれいに洗って、カニが向こう側まで見通せるようにしておかないと、どうして箱型の海藻のなかに腐った魚があるのだろうと警戒する。フォニーボーイは家にあるカニ捕り籠はどれもきれいにしてあるし、いざとなったら、蝶のように音を立てないでいられた。

歯医者には神さまが願いを聞き入れてくださったと思わせたかったが、ほんとうのところ、フォニーボーイは本土で仕事をくれるというドクター・フォーの申し出につられたのだった。彼は立ち上がると、音を立てずに薬品貯蔵室を出て、いったん外に出てからバタンとドアを閉めて、入ってきたことが歯医者にわかるようにした。

「だれだ?」ドクター・フォーがいそいそと聞いた。「おまえか? フォニーボーイ」

「ああ」

「ありがたい。ここは寒いし、家に帰りたいんだ。フォニーボーイ、歯はどうだ? 麻酔は切れたか？」

「ああ」

「飲み込んだ綿はどうした？　だいじょうぶか？」

「ああ」これは島特有の表現で、いまのところはなんともないという意味だ。「向こう岸まで連れてってやるよ」彼は言った。「父さんから望遠鏡やサーチライト借りてくる暇なかったんだ。外は寒いのに、あんた上着もないしな。けど、急いだほうがいい。カニ捕り籠を引き上げに船が出るまえに行かないと」

「寒いのなんかなんでもない。望遠鏡や懐中電灯なんてなくたってだいじょうぶだ」歯医者は喜んで叫んだ。

涙が浮かんできたが、フォニーボーイには見えなかった。胸の悪くなるようなにおいのするバンダナが、まだ歯医者の目に巻いてあったからだ。ここ何年も、彼はフォニーボーイの歯を治療して、あるいは治療するふりをして、罪をあがなってきたが、この少年が天使だったとは一度も思いつかなかった。

「ありがたいことだよ」二人でこっそり診療所を出ながら、ドクター・フォーはささやいた。

「しーっ」フォニーボーイが注意した。「静かに」

島の道路は人けがなく暗かった。どの家にも灯ひとつ見えない。住人は寝静まり、ゴルフカートも明日にそなえて英気を養っている。だが、午前三時になると漁師たちが船を出すのをフォニーボーイは知っていた。だから、急いだほうがいい。ドクター・フォーを助け出したことがわかったら、厄介なことになるだろう。フォニーボーイの母親は息子をまっすぐスウェーン記念合同メソジスト教会に引きずっていって、クロケット牧師に告げ口するだろう。フォニーボーイは前にもクロケット牧師とひと騒動起こしているし、また罪を償《つぐな》うために聖書の文句を暗記させられるのはまっぴらだった。

フォニーボーイの家の漁船は、教会から目と鼻の先に舫《もや》ってあったので、彼は教会の尖塔に見張られているような気がして落ち着かなかった。タンジール島民はみんな信心深くて、親に背《そむ》くのは許しがたい罪だった。ドクター・フォーにとっては天使だったとしても、夜中にこっそり家を抜け出して歯医者を逃がしたとしたら、親を公然と裏切ったことになる。それに、フォニーボーイの父親はカニ捕り籠を引き上げるために船を出そうとして、船がないとわかったらさぞ怒ることだろう。

船着き場のぐらぐら揺れる木の階段をおりながら、フォニーボーイはずっとそのことを声に出して心配していた。やっぱりやめたほうがいいかもしれない。彼は最後の一段を踏み出すことができなかった。この一歩を踏み出したら、まったく未知の恐ろしい世界に入ることになる。歯医者はフォニーボーイを励まそうとして、一六〇六年の十二月に、居酒屋「犬の島《アイル・オブ・ドッグズ》」を出て、ブラックウォール造船所の階段を一列になっておりた入植者たちもきっと同じ思いだっただろうと言った。ロンドンのセント・ブリッジ出身のリチャード・マトンは当時十四歳で、いまのフォニーボーイと同じ年だったから、きっと最後の一段を前にして足がすくんだにちがいない。

「家族もいっしょだったんだろ？」フォニーボーイは小声で聞いた。

「入植者リストにはマトンという姓はほかにはなかったんだ、少なくともわかってるかぎりでは」

「だったら、なんで行ったんだろう？」フォニーボーイはリチャード・マトンがひとりぼっちで闇のなかで震えながら、小さな三隻の船を見つめているところを想像した。これに乗って大西洋を横断して、恐ろしい未知の世界に乗り込んでいくのだ。

「金《きん》だよ」ドクター・フォーは答えた。「マトン少年も、わが国の最初の入植者たちのように、金を見つけられると思っていたんだ。少なくとも銀ぐらいは。スペイン人が西インド諸島で見つけたようにな。それに、新世界に行けば、だれだって広大な土地がもらえて、農耕もできた」

「なんでそんなこと知ってるんだい？」フォニーボーイは感心した。

「けさ、おまえたちに監禁される前にトルーパー・トゥルースのコラムで読んだんだ。もともと、バージニアの歴史に興味を持っているもんでな」

島の小さな家々の窓に灯がともり始めると、フォニーボーイは思いきって父親の平底船に飛び移った。そして、真っ暗な湾に漕《こ》ぎ出しながら、金や財宝を思い浮かべた。一時間半の航海のために燃料タンクをチェックし、予備のタンクをひとつか二つ用意しておいたのは、賢明なことだった。というのも、タンジール島から五マイル西の、立ち入り禁止区域R六六〇九にさしかかったとき、船外モーターがぶつぶつと不穏な音を立てはじめ、やがてぱったり止まってしまったからだ。

「どうしよう」ドクター・フォーは、結局のところ神さまは祈りを聞き入れてはくださらず、欺瞞《ぎまん》に満ちた人生を送ってきた彼を罰するために、もっと大きな試練をあたえられたのだと思った。「なにか方法はないのか、フォニーボーイ」

どの釣り船にもフレアガンが積んであるが、フォニーボーイはそれを使うわけにはいかなかった。島の漁師に助けられて、歯医者を逃がそうとしたことがばれたら、どんな罰が待っているかわからない。それに、このあたりの海は立ち入り禁止区域だから、照明弾なんか打ち上げたら、軍の船が大砲でも撃ち返してくるかもしれない。

「このまま流されたら、いずれリードヴィルに着くんじゃないか?」ドクター・フォーは聞いた。厳しい寒気が薄着の身にこたえてきた。

「まさか」

フォニーボーイはあちこち引っかきまわして、船にあったものを集めた。ロープ、錆《さ》びたポケットナイフ、数本の水筒、殺虫剤——これは歯医者が喜んで使った。こんな寒いときに蚊なんていないのに。操舵席の下の荷物置き場には南京錠がついていた。フォニーボーイは錠の数字の組み合わせを思い出そうとした。もしかしたら、フレアガンとか、なにか役に立つものが入っているかもしれない。それに、運がよかったら、父さんが携帯無線機を家に持って帰らないで、ここにしまっておいたかもしれない。

20

クルス・モラレスは裏道から裏道へと抜けて追っ手を振り切ると、パターソン・アヴェニューから一本入った路地にあるフレックルズの裏にある金属製のゴミ容器のそばに車をとめた。暗がりで荒い息をしながら、耳をすませ、落ち着きなくあたりをうかがった。フレックルズからはカントリー・ミュージックとくぐもった話し声が聞こえてくる。どうやら小さなバーらしい。突然、彼はビールが飲みたくてたまらなくなった。神経が極度に張りつめている。こんなにこわい思いをしたのは生まれて初めてだった。

ヘリコプターが低く飛びながらサーチライトでなにか捜しているが、あれはきっとぼくを捜しているんだとクルスは思った。あんな大がかりな捜索をするとしたら、その理由はトランクのなかに隠したあの包みしか考えられない。でも、なんでばれたんだろう？　自動車屋の白人たちに店の奥に連れていかれて、持っていった包みの代わりに新しいのを渡されたとき、クルスはなんかやばいことをやってるのはわかっていたが、まさかあの連中がたれこむはずがない。自分たちだって危なくなるんだから。それに、取引現場はだれにも見られなかったし、思い出せるかぎりでは、ヘリコプターがいっぱい空に現れたのは、自動車屋の駐車場に車を入れる前だった。だったら、まだなんにもやってないときから、ぼくを捜してたんだろうか？　なんでそんなことになってしまったんだろう？

車からおりて、トランクを開け、タイヤ入れから例の包みを取り出した。だいたい、こんなところに隠したって隠したことになんかならないのだ。スペアタイヤもカーペットも入っていないんだし、警官が不審なものを捜すとしたら、まっさきにこのタイヤ入れの扉を開くだろう。クルスが包みをゴミ容器に投げ込もうとしたとき、バーの裏口のドアが開いて、明るい光と話し声が路地にこぼれた。

メイジャー・トレーダーは酔った勢いでマッチョ気取りになって、フレックルズにはちゃんとした手洗いがあるにもかかわらず、店の裏で立ち小便をする気になった。もともと戸外で用を足すのは彼にはごく自然なことだった。海賊や漁師は、不便な環境に適応するすべをよく心得ている。漁船にはトイレはなかったし、トレーダーが子ども時代をすごした家には屋外便所があったが、小用ぐらいでは使ったことがなかった。トレーダーは少々おぼつかない足取りで外に出ると、ズボンの前を開けようとしたが、どういうわけかジッパーが布地に食い込んで、うまくおりてくれない。

「くそっ！」トレーダーは毒づきながら力まかせに引っ張った。「こんちくしょうめ！」引っ張れば引っ張るほど、ジッパーは布地に食い込んでいく。彼は窮地に立たされた。ジッパーはちょうど真ん中で止まって、おろそうともがけばもがくほど、膀胱《ぼうこう》が圧迫されて我慢できなくなる。彼はズボンの前を押さえて足踏みしながら、ジッパーを呪いつつ、なんとか金属の歯をおろそうとした。

クルスはゴミ容器の陰にひそんで、仰天しながらこの光景を眺めていた。こんなものを見たのは初めてだったし、太った男がわめきちらす悪態も聞いたことのない言葉だった。なんであいつはあそこを押さえながら、片足飛びなんかしているんだろう？　薄暗がりで見るかぎりでは、股ぐらをつかんで体を引き上げて宙に浮こうとしているみたいだ。息を切らし、ますますひどい言葉を吐き散らしながら、狂ったようにぴょんぴょん飛んで、クルスが隠れているゴミ容器のほうに向かってくる。

クルスは包みを地面におくと、男と反対側にまわって、そっとゴミ容器の前に出た。そして、一目散に車まで走り、飛び乗ってエンジンをかけると、あわててその場から逃げ出した。トレーダーは相変わらず体を押さえて、ますます耐えられなくなってきた欲求に駆られて跳ねまわっていた。ジッパーはおりるどころか、開口障害を起こした顎のようにぴくりとも動かず、摩擦で熱までもってきた。

トレーダーはジッパーを引っ張りながら、耐えがたい苦痛にうめき声をあげた。だれかが彼の膀胱に自転車の空気入れをつけて、それが破裂して安堵《あんど》と恥辱《ちじょく》でぺしゃんこになるまで、どれぐらい空気が入るか確かめようとでもしているみたいだ。海賊はよちよち歩きの子どものころから服を着たまま小用を足すことはない。人や物に小便をかけることはあっても、それとこれとは別で、たとえ商船を襲ったりカニの養殖場に火をつけたりしている最中でも、自分の身を汚《よが》すようなまねはしない。すっかり息切れして、跳ねまわる元気さえなくなったとき、トレーダーは地面においてある包みに気づいて、両脚をかたく組んでその上にすわった。

「こんちきしょうめ」何度も毒づいているところへ、裏口が開いて細長い光が差し込んだ。トレーダーは目を細めた。

フーター・シュックは料金所での仕事を終えて、あの巨漢のマコヴィッチ警察官と一杯飲みにフレックルズに寄ったところだった。最初は意気投合して楽しくやっていたのだが、あいにく、ちょっとした見解の相違にぶつかった。

「おれは結婚したいなんて思わないな」マコヴィッチは四本目のビールを飲みながら言った。「家に帰ったとたんに、うじゃうじゃ子どもにつきまとわれるのは真《ま》っ平《ぴら》だし、金をどぶに捨てるようなもんだからな。いまコルヴェットを買うために貯金してるんだ」

「ふうん」フーターは少々酔っていた。もともとビールは体質に合わないのだ。「あんたもほかの男といっしょだね」そう言いながら、びっくりするほど長いアクリル樹脂の爪で合成樹脂のテーブルを叩いた。「よくわかったよ。あたしが仕事でくたくたになって帰ってきても、あんたはせっせとコルヴェット磨いてるんだろう。赤ん坊たちが汚れたおしめしたまま、おなかすかせて泣いてても知らん顔して。それで、あたしの顔見たらすぐ、ビール飲みながらセックスしようとするんだろ。きょうはどうだったって聞きもしないで」

「なんだよ、一足飛びに映画の最後にいくみたいじゃないか。おれたち、まだ手も握ってないんだぞ。まあ、ビールでも飲んで落ち着けよ」

フーターがまた力まかせに爪でテーブルを叩くと、氷の上でスケート靴がきしるような音がした。

「どうして女ってのは、そんな三インチもある爪つけて平気なんだろうな」マコヴィッチは言った。「そんな手じゃ、小銭とか切手とかつかめないだろうに」

「小銭をつかむときは必ず手袋してるもの」フーターは憤然と言った。「あたしが不潔なものや不衛生なものをどう思ってるか知ってるでしょ」

これを聞いてマコヴィッチは心配になった。小銭でこの程度なら、この女といい仲になったらどうなるのだろう。この調子では、抗菌スーツを着てベッドインして、あの爪で大切なところを傷つけられるんじゃないだろうか。考えただけでもぞっとした。あの爪があそこに食い込んできたら……。だいたい、なんで毒《プワゾン》なんて香水を使っているんだろう。料金所で働いている見知らぬ女を誘うなんて、軽率だったかもしれない。この前、ぜんぜん知らない女を誘ったときも似たような目に遭った。レティティア・スイートは本署の近くのシェル・クイック・マートで働いていて、ある日の午後、マコヴィッチはなんの気なしに店にコーヒーとポップコーンを買いに行った。レティティアは古いキャデラックみたいな体つきの女で、おそらく同じような走行距離を誇っていて、ペンキを厚塗りしていたにちがいない。だが、マコヴィッチはクリム知事の娘にじリヤードで難癖《なんくせ》をつけられたあとで、むしゃくしゃしていた。

「あんた、なにがおもしろいんだい？」彼はカウンターに近づいて、羽振りのいいところを見せようと二十ドル札を出した。

「それ、どういう意味？」彼女はにやっと笑うと、レジの引き出しの上にかがみこんで豊かな胸が彼に見えるようにした。

　そのグラマーぶりは、たしかにたいしたものだった。この女なら、どこをつかんでも手に余るだろう。もっとも、二人のデートはその日が最初で最後になった。

「あんた、どういうつもりよ？」レティティアは彼の車のなかで叫んだ。「なに考えてんの？　そんなにあっちこっちつかんで。あたしには肉の下に神経がないと思ってんの？　ぼろ雑巾みたいに絞られたらどんな感じかわかる？　雑巾だったら、店じまいするときナチョスが入ってた容器を拭くとき、いつも絞ってるけど」

　彼女は実際それをやってみせ、マコヴィッチはそれがちっとも気持ちのいいものでないことを認めざるを得なかった。それなのに、どうしてまたフーターに声なんかかけたのだろう。マコヴィッチは自分の愚かさにうんざりしていたので、フーターがちょっと外の空気を吸ってくると席を立って、もし縁があったら今度また料金所におしゃべりに来てと言ったときも、引き止めないのがいちばんだと判断した。フーターはたいていいつも、こんなふうに場末のバーでデート相手と別れて、家に送ってももらえないのだ。裏口から路地に出た彼女はちょっぴり自分がかわいそうになった。と、そのとき、ゴミ容器のそばに太った白人の男がひとり、うずくまっているのに気がついた。一瞬、彼女は自分のみじめさを忘れた。

「どうしたの、あんた具合悪そうね」フーターはそう言うと、危なっかしいハイヒールの足で近づいた。「こんな寒いとこでなにしてるの？　救急車、呼んだほうがいい？」

「ジッパーがおりないんだ」トレーダーは身もだえしながらまた引っ張ったが、やっぱりだめだった。「こんちくしょうめ！」

「ときどきあるのよね、そういうこと」フーターは同情しながら、もっとそばに寄って、頭のおかしな男ではないか確かめようとした。「それが背中のほうだったら、もっと大変よ」彼女は裾の長いイブニングドレスの背中に手をまわすジェスチャーをした。「昔、ホリデーインで大晦日のダンスパーティがあったとき、ドレスのジッパーがあがらなくなっちゃったの。あんまり強く引っ張るわけにいかなくて。きれいなドレス、だいなしにしたくなかったから」

思い余ってホテルの廊下に出て、通りがかった親切なアラブ人の男性に、いったんジッパーを下までおろしてもらって、なんとか薄いシフォン地に引っかけずに、もう一度最初からあげることができた経緯をフーターはくわしく説明した。困ったのは、アラブ人がドレスのジッパーをあげさせようとせず、その下のものもおろすようにしつこく迫ったことで、結局、その男を殴るしかなかった。フーターはその思い出にひたりながら煙草に火をつけ、トレーダーは相変わらず体を押さえて、この苦痛から救い出してほしいと頼んだ。

「もう我慢できない。火がつきそうだ」トレーダーが涙を浮かべながら懇願した。

「火がほしいの？」フーターはかがんで彼に煙草をくわえさせて火をつけてやった。「好きなだけ吸っても、お金払えなんて言わないからね。どっちにしても、あたし小銭にさわれないの。人に煙草おごってやっといて、あとでお金取るなんてひどいと思わない？　あんた、なんの上にすわってんの？」

トレーダーは突然、自分がゴミ容器のそばのなにか固いものの上にすわっていることに気づいた。あいているほうの手を伸ばして包み紙をはがすと、路地に煙草を投げ捨てた。

「銃だ」とっさに、じゅうぶん気をつければ、これを使って動かなくなったジッパーを吹っ飛ばせるのではないかと思った。

「銃？」フーターは叫んだ。「なんで銃の上なんかにすわってるの？　危ないじゃない。それに、なんで宅配便の袋に入れてるの？」

トレーダーは九ミリ口径のピストルをつかみ出して、弾倉をはずした。さいわい、弾丸がぎっしり入っている。といっても、彼はフレアガン以外の小火器のことはあまり知らなかった。それでも、スライドを引いたり、いじりまわしたりして、どうやら弾丸がちゃんと装塡《そうてん》されたらしいのを確かめた。そして、股を大きく開くと、慎重に発砲した。

「なんてこった！」弾丸が真鍮のジッパーをかすめて、轟音とともにゴミ容器に当たると、彼は大声を出した。

「頭おかしくなったんじゃないの？」フーターが金切り声を出して、転びそうになってあとずさりした。「自分であそこ撃ってどうするのよ？」

トレーダーはジッパーをまっすぐに直して、また引き金を引いた。弾が上にはずれて街灯を叩き落とすと、怒り狂ってわめきちらした。ジッパーは難攻不落で、死力をふりしぼって布地にしがみついている。トレーダーは何度も何度も引き金を引き、路地にはからの薬莢がころがった。フーターは悲鳴をあげながら警察を呼び、頭上のヘリコプターに向かって腕を振りまわした。

「助けて！　助けて！」ブラック・ホークに向かって大声を出した。「おりてきて、この頭の変なやつをつかまえて。自分のあそこ狙っては撃ち損ねてるんだから。でも、いまにきっとなにか吹っ飛ばすよ。助けて！　助けて！」

無線連絡が入ったのは、アンディがジュディ・ハマーの自宅の前に車をとめたときだった。

「パターソン・アヴェニュー五〇〇ブロックで乱射事件が発生。付近にいる警察官は急行してください。路地裏で発砲している模様」

ハマーは玄関まで迎えに出たが、アンディが車からおりないので、不審に思って階段をおりてきた。

「なにをしてるの？」ハマーに聞かれて、アンディは車の窓を開けた。

「発砲事件の知らせが入ったのに、だれも応答しないんですよ」アンディは興奮した声で言った。「市警はほかの発砲事件で手一杯なのか、さもなければ、例のヒスパニックの男を捜してるんでしょう」

「行きましょう」ハマーは車に乗りこんだ。

屋根の青い警告灯をフル回転させ、サイレンを鳴らしながら現場に向かうあいだも、無線機からはパターソン・アヴェニューに出動を要請する指令が流れてきた。

「こちら十一」アンディはリッチモンド市警察にいたころのユニット・ナンバーを告げた。

「十一」通信指令係のややとまどった声が返ってきた。アンディの声を覚えていて、彼がもう市警にいないことを知っていたからだ。

「パターソン・アヴェニューに急行中」

「テン・フオア《了解》、元ユニット十一」

「その路地の正確な場所はわかるか？」アンディはマイクに向かって聞いた。

「テン・テン、ユニット十一」これは市警特有の表現で、「いいえ、ブラジル巡査あるいはブラジル巡査を名乗ってパトカーに乗っている方へ」という意味だ。

通信指令係のベティ・フリークリーは、後ろの席の九一一のオペレーターを振り返って、肩をすくめた。

「あの人、市警をやめて州警察に入ったはずだけど。また街をパトロールなんかして、どうなってるのかしら」

九一一のオペレーターはみんな忙しかった。その夜はリッチモンドのあちこちで事件があった。酔っ払った白人男性が、犬の散歩に行こうとして庭で倒れた。黒人女性がエグルストンの食料品店のそばの道路の真ん中に倒れていた。幼児がビーニーベビイの紫色のクマのぬいぐるみに入っていたビーズを全部食べてしまった。自動車事故が数件あり、警官の大半はニューヨーク・ナンバーのグランプリに乗っているヒスパニックの男性容疑者を捜すのに駆り出されていた。だが、ハマーがいちばん気になった緊急事態は、袋をかぶった男が、チェンバレーン・アヴェニューの「ポパイのチキン&ビスケット」に押し入ろうとしているという通報だった。

「去年、料金所に押し入ろうとしたのと同じ男かしら」ハマーは言った。「なんて男だった？　あのときは、袋にあけた穴の場所が悪くて、前が見えなかったから料金所にぶつかったんだったわね」

「通称はスティック」アンディが教えた。「数え切れないほど前科のある男で、もう何年も袋をかぶってあちこちに出没してます」

「いつも同じ見え透いた手口で、うまくいかないことぐらいわかりそうなものなのに」ハマーはいまだに大半の犯罪者の愚かさに驚かずにいられなかった。

「二ヵ月ほど前にもブロード・ストリートのポパイの店を襲ってるんです」ケアリー・ストリートの黄色い灯のなかを飛ばしながら、アンディは言った。「袋をかぶって店内に入って、並んで待っている客のそばの手すりにぶつかって、それでも八ピース入りのチキンディナーを奪って逃げたんですが、ガラスのドアに激突して鼻を折った。紙袋についていた血からDNAを検出しました」

「銃は使うの？」

「そこなんですよ。武器はいっさい携帯しない。ただ袋をかぶって入ってきて、欲しいものを要求するだけ。だから、これといった罪名がつけられないわけで、長期間勾留できないんです。本人が言うには、欲しいと言えば、相手はあっさり渡してくれるということで、それでは犯罪とは呼べないし、バージニア州法では、袋をかぶって歩きまわるのは違法行為にはならないんです。だから、スティックが罪状認否手続に出てくると、判事は否決してしまう」

「付近にいる警察官は……」通信指令係の声がまた聞こえた。「袋をかぶった白人男性が、チェンバレーン・アヴェニューのポパイの駐車場に出現。救急車が向かっています」

「また転んだみたいですね」アンディが言った。

その夜転んだのは、スティックだけではなかった。バービー・フォッグも自宅のカーポートでミニバンからおりたとき、双子の娘のどちらかのバービー人形を踏んでしまった。またいつものように、そこで遊んで放り出していったのだろう。

「まったく……」バービーはぼやきながら、コンクリートの床から起き上がって、どこか怪我しなかったか調べた。

バービーは天のお告げを信じているので、もう少しでおおごとになったかもしれないこの出来事が、なにかを見落としたり踏み外したりしたというお告げだと思った。きっとそうに決まってる。そして、老人ホームを訪れる前に起こったことを思い出した。彼女は定期的にホームを訪れて、物忘れのひどくなったおばあさんたちの話し相手をしている。きっと神さまがわたしを癒《いや》し手に選んで、そのごほうびをくださったのだ。そう、それがあのフーターからの虹のプレゼントだったのだ。

数分後、向かいに住んでいるクロット姉妹が、フォッグ家のミニバンの後ろの窓にバービーが虹のステッカーを貼っているのを眺めていた。台所のブラインドの隙間からのぞいていたウヴァ・クロットはショックを受けた。

「ちょっと来てよ」ウヴァは、居間で大音響でテレビを見ている、やはり独身の妹のイーマを呼んだ。「いったい、どうなってるんだろうね。酔っ払って転んだあげくに、子どもたちをほったらかしておいて、車にあんな変なものつけたりして。子どもたちが見たら、なんて言うだろうね。あの人はおかしいっていつも思ってたんだよ。いつも言ってたじゃないか、イーマ、あの人どうなってるんだろうって。まあ、こっちに来て見てごらんよ」

イーマは歩行器を引きずりながらやってくると、ブラインドの隙間からそっとのぞいた。そして、道路の向こう側の電気をつけたカーポートにいるバービー・フォッグを見ると、ぎょっとして体をこわばらせた。イーマの日にはなにをしているのかまでは見えなかったが、ミニバンのまわりを歩きまわって、コンクリートの床に転がった人形を蹴飛ばして、車の後ろの窓になにかをせっせと貼りつけて、ほれぼれと眺めているらしい。イーマには鮮やかな色がいくつか見える程度だった。

「あの人、なにしてるの？」イーマは姉に聞いた。

「あの窓に貼ってるものが見えないのかい、イーマ。あの虹のステッカーだよ、同性愛の人たちが、これ見よがしにつけてる。ほら、フレンチ・クォーターに住んでたとき、あっちこっちに虹の旗やステッカーが貼ってあったじゃないの」

びっくりして息を呑んだ拍子に、イーマは歩行器ごとつんのめってブラインドにぶつかった。体を支えようとしてブランドをつかんだが、そのまま床に倒れてしまった。バービー・フォッグは突然見通しのよくなった台所の窓からクロット姉妹がのぞいているのに気づいて、手を振ってみせると、あわてて家の中に入った。

「レニー」バービーは裏口から台所に入りながら、冷蔵庫をあさっていた夫に声をかけた。「今夜なにがあったと思う？　きっと当てられないと思うわ」

「そうだろうとも」レニーはつっけんどんに答えると、バドワイザーの缶を開けた。「おれには当てられっこない」

「言葉のあやだってば」これはバービーの口癖だった。

「なんでこんなに遅くなったんだ？　とっくに帰ってると思ってたのに」

「道路が込んでたし、老人ホームの気の毒な人たちと話し込んでたから。そうそう、レニー、今夜新しい女友達ができて、ミニバンに虹をつけたの」

「なにやってんのかと思ったら、嵐のなかを走りまわって、虹のふもとに金貨の壺を探しに行ってたのか」レニーは喉を鳴らしてビールを飲むと、手の甲で口を拭いた。

「子どもたちはもう寝た？」バービーはそう言いながら、自分も冷蔵庫のなかを見まわして、この虹を記念してレモンサワーで祝杯をあげることにした。「金貨の壺を見つけたらすてきだと思わない？」

「そりゃそうだろうよ」レニーは聞き流した。「土曜の夜のカーレースのチケットをもらってきたぞ。お客さんが余ってるからってくれたんだ。土曜はシャーロットで不動産業者の大会があるから、おれは行けない。おまえ、行くか？　行かないなら、だれかに譲るが」

「子どもたちはシッターさんに頼んで、だれか誘って行くわ」バービーは喜んで言った。カーレースならぜったい見逃さないし、夫が行けなくてよかったとは口には出さなかった。

バービーはドライバーのリッキー・ラッドのファンで、彼のすべすべしたクリーム色の肌やみごとな金髪にひそかに胸をときめかせていた。胸にテキサコのトレードマークの大きな星をつけたカラフルなレーシングスーツを着た彼の写真を眺めたり、彼のナンバー28の真っ赤なモンテカルロが疾走するところをテレビで見たりするたびに、体中がかっと熱くなって、またファンレターが書きたくなるのだった。ファンレターはもう何年も書きつづけている。彼がノース・カロライナに住んでいたころは毎週かかさず手紙を出し、彼が生まれ故郷のバージニアに戻ってからは、電話番号を探り出そうとしていた。当然ながら返事は来ないが、ペンネームを使うのをやめて、こちらの住所も書けば、きっと返事をくれると信じていた。

リッキーのほかにも、ボウ・マンにも熱をあげていた。ボウに目をつけたのは、去年開かれた二〇〇〇年シボレー・モンテカルロ400で、彼がレーシングカーを先導するペースカーに乗っていたときだった。バービーはピットで彼に山のように質問したあげく、いっしょに写真を撮ってほしいと頼んだが、そのときちゃっかり彼の住所を聞き出した。「この写真といっしょに切手を貼った封筒を送ったら、サインしてくれる？」レースのあとで、ペースカーの前でいっしょにポーズをとってくれたボウに彼女は聞いた。「封筒に？　それとも写真に？」ボウは言ったものだ。気の利いた返事ではないか。バービーはユーモアのセンスのある男が大好きだった。

「今夜、川のそばで男が吹っ飛ばされたらしい」レニーがしゃべっていた。「また変なやつがうろうろしてるってことだ。ベッドに入ってセックスしようぜ」

レモンサワーがバービーの頭にまわり始めていた。

「レニー」彼女はため息をついた。「今夜はその気になれないの。虹が頭から離れなくて、ちょっとぼうっとして虹を見ていたいの。あなたがかまわないなら」

レニーとしては、かまうもかまわないもなかった。憮然としてビールを飲み干すと、また一本取り出した。蓋を開けながら、妻のほっそりとした体を眺めた。美容にあんなに時間をかけているのに、夫に服を脱がせて成果を確かめさせようとはしない。そんなばかな話があるだろうか。どうして女はセックスもしたくないのに見かけばかり気にするのだろう。

「寝る前に子どもたちの様子を見てこなくちゃ」バービーは言った。「あら、大変！　頭がくらくらしてきたわ」

「くらくらできるだけましだ」レニーはつぶやくと、これまで妻の買い物にも、美顔術だの注射だの、ほかになにをやっているんだか、毎月一度美容整形外科に行っていることにもめったに文句をつけたことがないのを思い出した。妻に花も贈っているし、特別の日でなくても買ってくることもある。もうすぐ五歳になる双子の娘、マンディとミッシーの子守もちゃんとしている。彼の望みはただ妻が触れさせてくれること、少なくとも彼女もそれを望んでいるふりをするか、いやでないそぶりをしてくれることだけだ。

レニーは妻にもう一本レモンサワーを出してやると、自分もビールを飲んだ。昔は妻を酔わせるという手もあったが、最近では、ふらふらになって、いっそう夫を寄せつけなくなるだけだ。

「こんな生活にはもう耐えられない」彼は言った。「一日中、家を売ってあくせく働いて、やっと家に帰ってきたら、二日に一度は子守だ。おまえは老人ホームに出かけたり、街で女友達と遊んでいるというのに。帰ってきたらきたで、おれの相手はできないほど疲れてる。おれといるのに疲れたんじゃないのか」

「女には同性の友達が必要なのよ」バービーはなんとか理屈をつけようとした。「男の人には、女には女友達がどれだけ必要かわからないわ。それで、チケットは何枚もらったの？」

「そういうことか。だったら、おれにも女友達が必要かもな」レニーは辛らつな口調で言った。

バービーは泣き出した。夫が怒ったり意地悪したりすると、どうしようもなくつらくなるのだ。夫の怒りにあって彼女は花のようにしおれた。「どうしていいかわからない」彼女はすすり泣いた。「ごめんなさい、レニー。あなたを喜ばせようと精いっぱいやってるんだけど。でも、四十をすぎてから、その気になれなくなって……もういやなの。あなたのせいじゃない。ぜったいにあなたのせいじゃないわ。だれかにこのこと相談したほうがいいかしら」

「やめてくれ」レニーは目を剝いた。「今度はセラピストに金を払うのか。それに、おかしな話じゃないか。おまえはボランティアでカウンセラーやってるんだろ。だったら、自分でなんとかしたらいい」

バービーがいっそう激しく泣き出すと、レニーはとんでもないことをしたような気になった。妻を抱き締めて、機嫌を直してほしいと頼んだ。

「いいよ、だれかに相談したらいい。好きなようにしていいよ」彼は言った。「チケットは二枚だが、もっとほしいなら、あのゼネラルモーターズの重役からもらってくる。リタイアしてこっちに落ち着いたばかりで、川のそばの大きな家を買ってくれたんだ」

アンディとハマーがフレックルズの裏の路地に着いたときには、あたりの街灯は全部消えていた。生ゴミにまみれたトレーダーが、悪臭を放つゴミがあふれだした金属容器のそばで、小さな包みに腰かけていた。弾丸を使い切ったのに、まだジッパーと格闘していて、激しい尿意のためにヒステリーを起こす寸前だった。

「これはいったい……」ハマーはいちばん嫌いな知事のスタッフに話しかけた。「こんなところでなにをしてるんですか？　包みの上にすわって、銃なんか振りまわして。それに、どうしてスーツがそんなに汚れているの？」

「ジッパーが途中でおりなくなったんだ」トレーダーがどなった。

ハマーがかがんで様子を見ようとしたとき、アンディは物陰に女がひそんでいるのに気がついた。安全な距離から、様子をうかがっている。

「ジッパーに下着がはさまっているからよ。でも、どうして金具がそんなにでこぼこになってるの？」

「吹っ飛ばしてやろうと」

「落ち着いて」ハマーは命じた。「なんとかなるかもしれない」

ハマーはほかのものに触れないように注意しながらジッパーの金具をつかんだ。あっというまに、はさまっていた下着がとれて、ジッパーは機嫌よく滑りおりた。トレーダーはゴミ容器の裏に突進して、馬のように放尿しはじめた。

「やれやれ」アンディが顔をしかめた。

包みを調べると、高性能のピストルが五丁と弾薬が数箱出てきた。

「ありとあらゆるサイドビジネスに手を出してるみたいですね」アンディは言った。

「あきれた」ハマーは怒りをあらわにした。「これが州政府の役人とはね」

「おい」アンディは物陰に隠れている女に呼びかけた。ここからでは、縮れた髪とハイヒールのシルエットしかわからない。

フーターはよろめきながら出てきた。事情は飲み込めないが、なにか面倒なことになったらしいと気づいて怯えていた。

「あら、あんたたち知ってるわ」フーターはびっくりした声を出した。「あんた、あのときの女署長さんでしょ。あのあと州警察に入ったっていうから、署長じゃないかもしれないけど。それから、あんたはあのときの親切な警官ね、去年、袋かぶった男が料金所を襲ったとき、助けてくれたでしょ」

「事情を説明してくれないか?」アンディはまだ用を足しているトレーダーのほうにうなずいてみせた。

「ここに出てきたら、あの人が路地をぴょんぴょん跳ねまわってて、そのうち包みの上にすわって。あれって、銃が入ってたのよ。なんでゴミ容器のそばで拳銃の上なんかにすわってんのよ。危ないって言っても、離れないで体を押さえてるばっかりで。だから、あたしはなんにも知らない。急にそこらじゅう撃ち始めたから、あわてて隠れて、助けを呼んだだけ」

「この路地でなにをしてたんだ?」アンディは聞いた。

「ちょっと空気を吸いに」

「空気を吸いに出てきたということは、それまではあまり空気のないところにいたわけだ。ここに来る前はどこにいたんだ？」

「ちょっと飲んでたの」フーターはフレックルズを顎《あご》でさした。「すごく煙いんだもの、あそこ。大男の州警察官が立て続けに煙草吸うもんだから、よけいに」

アンディはとっさにマコヴィッチを思い浮かべた。ハマーもそうだった。

「まだいるか見てきて」ハマーはアンディに言った。

アンディは古びた小さなバーの正面にまわった。ドアを押して入っていくと、とろんとした目がいっせいに向けられた。マコヴィッチはまだひとりでボックス席にすわっていた。酔った顔をして、相変わらず煙草を吸っている。アンディは向かい合った席についた。

「そこの路地でメイジャー・トレーダーをつかまえた」アンディは言った。「銃声に気づかなかったのか？」

「車のバックファイアーかと思ってたよ」マコヴィッチが煙の向こうから、あやしげな呂律《ろれつ》で言った。「おれは非番だからな」むっつりとつけ加える。「トレーダーがそのへんにいるのは知ってた。あいつもずっとここにいたから。ひとりでビールを飲んでた。こっちから話しかけたりしなかったし、気づかれるようなまねもしなかった」

「彼がだれかと取引しているところか、携帯電話でしゃべってるところを見なかったか？この店でだれかと会って、おそらく銃の入った包みを受け取ったと考えられる根拠となるようなものを」

「そりゃすごい。きょうびはどっちを向いても事件だ」マコヴィッチはビール壜の底でテーブルに小さな円を描きながら言った。「あの男は気に入らんが、あやしげなことをやってるとこは見なかったな」

「つまり、彼とあの銃との関係は証明できないわけか」アンディはがっかりした。「少なくとも現在の時点では。それに、乱射で逮捕するわけにもいかない。それは市警の管轄だ。まあ、その気になったらやるだろうが。フーターといっしょだったのか？」

「ああ、とんだ見込み違いだったよ。ビール一杯おごる値打ちもない女だった、すぐつっかかってきて。料金所の女を誘っても、せいぜいこんなもんさ」

マコヴィッチはフーターなどなんとも思っていないというところを見せようとした。あの女は自分にはふさわしい相手ではない。しがない料金所のオペレーターなんだから。だから、腹を立てて出て行ったからって、どうってことない。その気になれば女なんかいくらでも見つかるんだ。シニア・オペレーターだろうがなんだろうが、関係ない。

「家まで送ってやってくれ」マコヴィッチは言った。「彼女は車を持ってないから」

「それより、あんたがた二人にタクシーを呼んでやったほうがよさそうだな」アンディは言った。「彼女には警察で事情聴取を受けてもらうことになるかもしれないが」

そのとき店の裏では、すでにハマーはフーターから事情聴取をしていた。

「通報したのはあなた？」ハマーは聞いた。「だれかが知らせたはずだけど」

「ヘリコプターに向かって叫んだわ」フーターは頭上で轟音を発しているブラック・ホークを指した。「だから、パイロットのだれかが無線で助けを呼んだんじゃないの」

「ヘリコプターから地上の声を聞くのは無理よ」ハマーは言った。トレーダーはゴミ容器の後ろで相変わらず路地に液体をはねかけている。

「でも、あたしはヘリコプターに向かって叫びながら腕を振りまわしただけよ。だから、だれかが警察に知らせたのよ。あたしはだれにも電話してないもの。あんなに長いことおしっこしてる人見たの初めて」彼女は音のするほうに目を向けた。「あの人、変よ。調べたほうがいいと思う。なにかほかにも悪いことしてるわ、きっと。ホモかも。だって、自分のあそこ撃ったりして、自分が男なのがいやなんじゃないの？　ということは、エイズで、ポケットに汚いお金をいっぱい持ってるかもしれない。手袋はめなくちゃ、さわれない。あんたも気をつけたほうがいいわ。バッグに手袋入れてるから、貸してあげようか。閉じ込めといたほうがいいよ、あの男」フーターがそう言ったとき、アンディがフレックルズの裏口から出てきた。

「トレーダーは店で飲んでいたそうです」アンディはハマーに言った。「マコヴィッチが見ています。あんたは？」彼はフーターに聞いた。

「気がつかなかった、いたかもしれないけど」フーターは答えた。「テーブルのまわりは煙だらけだったから」

「市警に連絡して、あとは任せましょう」アンディはハマーに言った。「現在のところ、これはわれわれの管轄ではなさそうだ。それから、あんたにはタクシーを呼ぶから」彼はフーターに向かって言った。

「なんでよ」フーターは怒った声で言った。「あたし酔ってなんかいないわ」

「酔ってるからじゃない。車がないんだろう？」

「彼は持ってる。だから、ここまで来たのよ」フレックルズのほうに顎を突き出したところを見ると、マコヴィッチのことを言っているのは明らかだった。

「彼は運転できるような状態じゃない」アンディは言った。「ビールを飲みすぎてるし、機嫌も悪い。傷ついたみたいだよ」

「まさか」フーターの目にきらりと好奇心が浮かんだ。「あんな鈍感なやつが傷つくはずないわ」

「それがわからないところでね。でかいタフな男が、案外、繊細で内にこもるやつだったりするんだ。なんなら、あんたが彼の車を運転して送ってやったらどうかな」

「あたしはどうなるのよ」フーターが叫んだ。「いまだにママと暮らしてる男のところなんかに泊まれないわ」

クルス・モラレスはママに会いたくて泣きそうになりながら、夜中まで車を走らせつづけた。午前三時になると、あたりをこっそりうかがってから、公衆電話ボックスに入ってドアを閉めた。あの料金所の女の人がくれた薄汚れた紙ナプキンを引っ張り出した。あの女の人はいい人のようだし、いまはだれかの助けが必要だった。ニューヨーク・ナンバーのグランプリで街から出ることはとうてい無理だ。警官がうじゃうじゃいるし、ヘリコプターまで飛んでいる。なぜこんな騒ぎになったのか、クルスには見当もつかなかった。

あの変な男がゴミ容器のまわりで跳ねまわっていたのにびっくりしてバーから逃げ出してから、カーラジオでニュースを聞いた。だれかが川っぷちで焼け死んで、ニューヨークから来たヒスパニックの容疑者を捜しているが、そいつはヘイト・クライム《憎悪犯罪》の連続殺人犯で、もとをたどればジェームズタウンでだれかが撃ち殺された事件にまでさかのぼるが、それがいまだに未解決なのは、どっかの女警察署長がちゃんと仕事をしないからだと州知事は言っているそうだ。クルスにはなにがなんだかわからないが、ヒスパニックなのは確かだし、急にわけのわからない犯罪の容疑者になって途方にくれていた。それで、セブン-イレブンに車を入れて、せっぱつまって電話したというわけだ。目を細めてナプキンを見ると、電話番号が二つ書いてある。ナプキンの片側と反対側にひとつずつ。あの料金所の女の人が書いてくれたのはひとつだけのはずだから、どっちかがそれで、どっちかがそうじゃないことになる。クルスは公衆電話に二十五セント硬貨を入れて、最初の番号をダイヤルした。三回呼び出し音がして、受話器がとられた。

「もしもし」男の声が出た。

「料金所の女の人、探してるんです」クルスはあの女の人のボーイフレンドかと思って言った。

「どなた？」

「それは言えないです。でも、話がしたいんです。かけていいって言いました」クルスは言った。

アンディはコンピューターの前にすわって、トルーパー・トゥルースの最新のコラムの準備をしていたが、とっさに料金所の女の人というのはフーターだとぴんときた。でも、どうして彼女を探すのに自分のところに電話してきたのだろう？

「いま家にいません」アンディは言った。誤解を招く言い方だが、嘘ではない。

フーターはマコヴィッチを家に送っていったが、そのあとどうなったかは推測の域を出ない。そのあとアンディは市警に連絡したが、駆けつけた警官は拳銃の包みは押収したものの、トレーダーを逮捕しないことに決めた。決定的な証拠がなかったし、なによりも彼が州政府の要人だったからだ。

「しかし、拳銃があなたとつながったら、話は別です」警官のひとりがトレーダーに言った。「そうなったら、ちょっと面倒なことになりますよ。あなたがだれの下で働いていようと関係ない。したがって、まっすぐ家に帰って、街を離れようとか、愚かなことは考えないことです」

「むろん街を離れたりしない」トレーダーはぬけぬけと言った。どういうわけか、頭の回路がまたつながって正常にしゃべれるようになっていた。「明日もいつもどおり知事の下で働いている」

「それは知事に聞いてからにしたほうがいいな」アンディは言った。「知事はもうそれを望んでいないかもしれない」

「ばかな」トレーダーは言い返した。「知事とはつねに良好な関係にあったし、実際、知事はわたしを親友とみなしてくださってる」

「レジャイナの血液検査があなたに不利な結果になったら、そうはいかないでしょうね。彼女は猛烈な腹痛を起こして救急治療室に運ばれたそうだ。その原因があのクッキーだったことは、あなたもぼくも知っている。あなたが官邸の厨房に入って、カウンターにクッキーを置いたのを見た人間もいる。知事だけに出すよう指示したそうですね。だが、レジャイナはだれも見ていない隙にこっそり食べたんです」

「妻が作ったクッキーで病気になる人間がいるはずなどない」トレーダーはあくまで強硬だった。

「いつ帰りますか？」強いスペイン語訛りのある匿名の人物が、電話の向こうで聞いた。

「さあ。なにかぼくにできることがあったら」アンディはこの警戒心の強いおどおどした相手にもっとしゃべらせたかった。

「心配なんだ。だって、ヒスパニックが川でだれか殺して、ぼくだれも殺してないのに、警察がぼく探してるって」クルスは電話ボックスにうずくまって夢中で訴えていたので、黒いランドクルーザーが給油所の前にとまったのに気づかなかった。

「どうして警察がきみを探してると思うのかな?」電話の向こうで男が聞いた。

「だって、料金所で止めて、なんかわかんないけど追っかけてきた。ずっと隠れてたんだ。こわくてこわくて。料金所の女の人、電話番号くれて助けてくれるって」

アンディはなぜフーターがこの容疑者と思われる人物に彼の自宅の電話番号を教えたのか考え込んだ。そして、去年起こった紙袋男の事件を思い出した。

「どっかで会って、話を聞かせてくれないかな」アンディはそう言うと、うっかりとマウスをクリックして、これから貼りつける予定のコラムの一語を変えてしまった。「警察から逃げていてもしかたがない。たとえ無実でも、法的な問題をどんどん抱え込むだけだ。どこか安全な、だれにも見られない場所で会って、話をしよう。ぼくには知り合いがいるから、助けてあげられるかもしれないよ」

クルスはその気になって、このどこのだれだか知らない相手に会うという賢明な決断を下しかけたが、そのとき突然、目の前で、思いがけないことが起こった。セブン-イレブンの大きな板ガラス越しに、白人の女が店に入ってきて、店員に助けを求めている様子が見えた。と、ちりちり頭の白人の男が、らりっているらしく、よろよろと入ってきて、上着の内ポケットからピストルを出して、店員に突きつけた。店員はカウンターから離れていたので、最近はどのコンビニエンス・ストアにも備えつけてある非常ベルを押すことができなかった。クルスには男の声は聞こえなかったが、いかにも残忍で凶暴そうな顔で、怯えきった女性店員にひどい言葉を投げつけているようだった。オレンジ色のチェックのセブン-イレブンの制服を着た店員が泣きながら命乞いをすると、男はレジの引き出しにある金を全部奪った。そのとき、驚いたことに、長い黒髪の白人の女が男の銃を何食わぬ顔で受け取って、女性店員の頭に銃口を突きつけると、続けざまに発砲した。その衝撃で電話ボックスが揺れ、クルスは悲鳴をあげた。

「どうした？」アンディはあわてた。どうやら銃声らしい。

「助けて！　ちりちり頭の白人の男！　店の人撃った！」わめき声がして、そのまま電話が切れた。

スモークか。アンディは看守のピンが、スモークが脱走したあとで、スモークの外見を説明していたのを思い出した。アンディの電話の発信者番号通知サービスによると、このヒスパニックの男の子は、川の南岸のハル・ストリートのはずれのセブン-イレブンからかけているようだった。アンディが九一一に通報しているあいだに、クルスは車に飛び乗って逃げ出した。

クルスはぎょっとした。一分とたたないうちに、あの黒いランドクルーザーがすぐ後ろに迫っていたからだ。ニューヨークで運転を覚えたクルスは、路地から路地へと車を飛ばし、猛スピードで脇道から脇道に抜け、中央分離帯を横切って反対車線に出て、ほかの車の間を強引に縫って、ついにスリーチョプト・ロードにたどりつき、テニスコートが何面もある大きな建物の駐車場に車を入れた。

ジッパーの略史

トルーパー・トゥルース

ジッパーといっても、おそらく読者諸氏はことさら問題にされたことはないだろうが、これはスライド・ファスナーとも呼ばれる簡単な留具のことで、ズボンの前立てやドレスのうしろ、フリーザーバッグなどの開口部を締めるために用いられる。もっとも、フリーザーバッグの場合は、いわゆるファスナーの歯ではなく、ジップロックで両側からぴったり留め合わせる仕掛けになっている。今回とりあげるジッパーは、二本の布テープからなるもので、それぞれのテープに金属またはプラスチックの細かい歯を一列にとりつけて、スライド式の締具を引き上げると、両側の歯がかみ合わさって、鉄道線路のようになるもののことだ。この鉄道線路はスライド式の締具をおろすと左右に分かれるが、ジッパーが脱線したり、頑《かたく》なに動かなかったりした場合は別で、昨夜、虚言と毒素の塊《かたまり》のようなメイジャー・トレーダーの身に起こったのがそれである。

記録に残っている最初のスライド・ファスナーは、一八九三年にシカゴで開かれた万国博覧会にウィットコム・L・ジャドソンが出品したものである。ジャドソン氏は、かぎホックをぎこちなく組み合わせた留具をクラスプ・ロッカーと称していた。その数年後に、ギデオン・サンドバックというスウェーデンからの移民で、電気技師だった人物が、かぎホックの代わりにスプリング・クリップを使って改良し、一九一三年には「フックレス・ナンバー2」を商品化した。これがジッパーと呼ばれるようになったのは、一九二三年にBFグッドリッチ社がジップアップ式のオーバーシューズを売り出したときに商標名に採用してからである。

言うまでもないが、もしジェームズタウンの植民地時代の墓地と思われる場所でジッパーを見つけたら、その遺体は一九一三年以降に埋葬されたものとかなりの確信を持って断定できる。このシナリオをいましばらく楽しむために、筆者が遺跡で骸骨となった遺体の骨盤の周辺でジッパーを発掘したと仮定してみよう。筆者はすぐに考古学者のひとりに、望むらくは、ドクター・ビル・ケルソーに報告するだろう。彼はジェームズタウン遺跡の主任考古学者であるばかりでなく植民地時代の工芸品の権威であり、そのなかにはボタンも含まれているからである。

「ドクター・ケルソー」筆者はこう言うだろう。「見てください。あの土の上の緑色のしみはジッパーの形になっています。わたしの解釈では、緑は真鍮製のジッパーが時とともに腐食したものと思われます」

この著名な考古学者は、おそらく筆者の意見に同意して、遺体をくるむ屍衣《しえ》を留める真鍮《しんちゅう》や銅製のピンも腐食すると緑色のしみを残すが、それはピンの形をしており、ジッパーのそれとははっきり見分けがつくと断定するだろう。そして、さらに、中世のピンは鉄でできていてピューター製の頭がついていて、そこにガラスや準貴石がはめ込んである場合が多かったと説明を加える。しかし、遺跡から発掘されるピンの大半は、真鍮の針金で作られたもので、そこにやはり円錐形の針金を三回から五回巻きつけ、最後に、叩いて平たくした頭がついていた。このピンの製法は一八二四年まで続いたが、その年にレミュエル・W・ライトが一回の工程で作ることができるソリッド・ヘッドのピンの特許を取った。

五インチ以上あるピンを発見したら、それはヘアピンであり、埋葬されていた人物は女性と考えていいだろう。安全ピンを発見したら、その墓は一八五七年以降のものと考えていい。また、屍衣を留めるピンを発見したら、その人物が手厚く葬られた証拠である。真鍮の針金で作った留具が使われていれば、その墓は十七世紀のものと考えてまず間違いない。さらに、ドクター・ケルソーは針の説明も加えるだろう。針が発見されることはほとんどないが、それは骨で作られたものでないかぎり錆びてしまうからで、骨の針が使ってあれば、その遺体は仕事に骨製の針を使っていた敷物職人のものと考えていいだろう。

「指ぬきはどうですか？」筆者はジッパー形のしみからそっと土をどけながら、ドクター・ケルソーに質問する。

「一概には言えない」と彼は答える。「用途によってさまざまだ」

十五、六世紀の指ぬきは、概してどっしりと重く、飾りがついていることはめったにない。丈の高い指ぬきを発掘したら、おそらくその墓は十七世紀半ばのものであり、穴の開いた指ぬきならば、大草原地帯に住んでいたプレーンズ《平原》・インディアンの衣類や袋物の修繕屋が革紐《かわひも》にぶらさげていたものだと考えられる。初期のネイティブ・アメリカンはファッション・センスが抜群で、ビーズや銅の飾り物、家財道具、木製の人形の頭や体の一部を身につけて楽しんでいた。

ネイティブ・アメリカンが持っていた人形は、たいていパイプ用の白色粘土を二つの部分からなる鋳型に流して作ったものだった。植民地時代の男の子に人気があったおもちゃは、ピューターや真鍮を鋳型に流して作った銃や大砲で、銃身はちゃんと空洞になっていた。つまり、小さな男の子でも、その気になればジェームズ砦《とりで》を撃つことができたわけで、ネイティブ・アメリカンがこんなおもちゃを手に入れて革紐にぶらさげたら、うっかり自分の足を撃ったり、もっと悲惨な結果になったかもしれない。

残念ながら、筆者はジェームズタウンの遺跡調査中に、おもちゃもしくはその一部を発見することはできず、硬貨やボタンすら見つけることができなかった。もっとも、マスケット銃の弾や矢じりはたくさん発掘したし、女性の遺体も一体掘り出した。その女性は長期にわたるパイプ・スモーカーで、四年ないし七年髪を切っていなかったと推定される。

読者諸氏の信頼に足る語り手としての立場を維持するために、ジェームズタウンの遺跡調査中にはジッパーは一本も発見しなかったことを明記しておかなければならない。しかし、もし発見できていたら、即座にそれがジッパーだとわかったはずで、そこから多くの情報を収集したことだろう。

話をかの悪党メイジャー・トレーダーに戻すと、彼はいまだ野放しの状態で、悔恨の情も見られない。最後に目撃されたときは、フレックルズというバーの裏でピストルを乱射していたが、おそらく現在も街にとどまって、これまでどおり不埒《ふらち》な業務に励んでいるものと思われる。画面右上の小さな刑務所のアイコンをクリックしていただけば、彼の近影を見ることができる。州知事がいっしょに写っているが、左側の拡大鏡を持った紳士のほうである。くれぐれもお間違いのないように。州知事は法を遵守する市民である。さて、筆者はこの場を借りて、州知事に以下のことを申しあげたい。

まことに申し上げにくいことだが、州知事におかれては視力に関してなんらかの手段を講じられたほうがいいでしょう。筆者としては、盲導犬あるいは盲導馬をお勧めします。後者が適切かと思われますが、その理由は、小型種の馬ならさほど長く待たなくても入手できること、馬は犬より長生きすること、すでに犬を飼っておられるので別の犬がくれば最初の犬がやきもちを焼くこと。僭越ながら、小型種の馬の入手方法を調べたところ、いますぐにでも一頭手に入ることが判明しました。室内で飼うために訓練されており、スニーカーをはくこともできるので、滑りやすい床でも転ぶ心配はありません。乗用車やバンの後部座席に乗るのが好きなところは、ほかのペットや子どもと同じです。そもそもトリップという名前からして、旅行好きなところからついたぐらいなので。これまた僭越ながら、ブリーダーにメールを出して、トリップを知事のために押さえておくよう頼みました。また、知事のオフィスに電話してくわしいことをお伝えするよう頼んだところ、早急にそうすると約束してくれました。

知事にもうひとつお願いがあります。官邸の執事の待遇に関して矯正局に問い合わせていただきたい。わたしのもとに届いた情報によれば、おそらくコンピューターになんらかの誤作動があって、執事の釈放時期はとっくに過ぎており、本来ならば、現在は刑務所の収容者としてではなく、一民間人として官邸で働いているはずだということです。また、もしわたしが州知事の立場なら、モーゼス・カスターの現状に配慮して、彼がまた襲撃されて、負傷もしくはさらにひどい目に遭わないよう保護態勢を強化するでしょう。一連の強奪・殺人事件の犯人グループが、本日の早朝コンビニエンス・ストアで女性従業員が殺害された事件に関係している恐れがあり、あのトリッシュ・スラッシュの残虐な殺害にもかかわっている可能性があります。

クリム州知事、いまこそバージニア州民に、あなたが一個人として州民の安全と幸福を願っていること、バージニア・コモンウェルスの最大の利益をなによりも優先することを示してください。

街ではご用心を！

21

ポッサムはトルーパー・トゥルースの最新のコラムを数回読み直して、このウェブの匿名の闘士が、一連の強奪・殺人事件の犯人グループがスモーク一味だと気づいていることを確信した。

「なんでわかったんだろうな？」ポッサムはベッドでいびきをかいているポパイにささやいた。「スモークが脱走して、またなんか悪いことしてるのはだれでも知ってるもんな。あいつ、ほかになんにもできないんだから。どうしよう、ポパイ、ここが警察にばれて、おれたち全員しょっぴかれたり、スモークと撃ち合いになって、みんな死んじゃったりしたら」

ポパイはぱっと目をさました。

「あれはないよな」ポッサムはだんだん腹が立ってきた。「なんであのセブン-イレブンの女の人、殺さなきゃいけなかったんだ？　だれかに見られてたんだ、きっと。だから、スモークだってばれたんだ」

ポッサムは大きく息を吸って、閉じたドアを何度も振り返った。

「なんとかしなきゃな」またポパイにささやいた。「ぐずぐずしてられない。どうかスモークに見つかりませんように」

ポッサムはメールを打った。

トルーパー・トゥルースへ
あなたが書いてたトレーダーというやつは、ウェブの海賊で、ボニー船長という名を使っています。なんでわかったかというと、この前あなたがウェブで、トレーダーが女の海賊と親戚だって書いてたからです。そっちの女海賊はもう死んだみたいだけど。
ボニー船長にメールを出しておびき出したら、罠にはめられると思います。防水のスーツケースにあいつの取り分になるはずのものを入れて届けるって言えばいいんです。それで、とりにきたら、つかまえるんです。ぼくとおんなじハンドルネームを使えば、ぼくからメールがきたと思うでしょう。
P.S. ポパイに関係のあるひどい計画もあります。あの子を盗むお膳立てをしたのはトレーダーなんです。

ポッサムは「すぐに送信する」をクリックすると、ほっとして閉じたドアに目を向けた。やれやれ、スモークにもほかの仲間にも見つからずにすんだ。トルーパー・トゥルースにメールを出したことがスモークにばれたら、きっと殺されるだろう。踏みつけ、蹴飛ばし、殴りつけて、瀕死の状態で放り出していくだろう、あの罪もないモーゼス・カスターにしたように。ポッサムがこんなことを考えているとき、病院では、モーゼス・カスターが看護婦に電話機を手渡されていた。

「知事からよ」看護婦のカーレスはとどろくような声を出して受話器を差し出した拍子に、制服の袖口でトレイの上のカップを押し倒し、モーゼスの病院着の胸にオレンジジュースをぶちまけた。

「冗談だろ」モーゼスは信じなかった。またこのうっかり者の看護婦にひどい目に遭わされたら、今度こそ非常ベルを押すつもりだった。「そんなこと言って、あの一味がおれを探してるんじゃないのか？」

カーレス看護婦は受話器を奪い取るついでに彼の顎にぶつけた。「いま部屋にいません」受話器に向かって言うと、オレンジジュースを拭きとろうとして、モーゼスの喉ぼとけを肘で突いた。

「なにするんだ」モーゼスは受話器を奪い返した。「ほんとうに知事だったらどうするんだ。

わざわざかけてくれてたら。失礼ですが、どちらさんで？」彼は電話に向かって言った。「これから病院中探しますよ。まだこの病院にいるし、いまのとこぴんぴんしてるはずだから。その前にどちらさんか確かめたいんです」

「知事のクリムだ」

「どちらのクリム知事で？」モーゼスはまだ納得できなかった。

「ベッドフォード・クリム四世だ。ほかにクリム知事はいない。知事はひとりに決まってるし、クリム知事といえばずっとわたしだ。バージニア州知事をこれで三期つとめている、いや、四期だったか」

「いま手分けしてモーゼスを探してるとこです」モーゼスは言った。なんとなく聞き覚えのある声だが、まだ釈然としない。「ちょっとお聞きしたいんですが、さしつかえなかったら、あんたのお母さんと奥さんと子どもさんとペットの名前と、みなさんの年と靴のサイズを教えてもらえませんかね」

「おおいにさしつかえる。個人的な質問には答えられない」知事は怒った声で答えた。

「はいはい、ちょっとお待ちを」

モーゼスは受話器を手で覆った。急に鼓動が速くなった。間違いなく知事だ。知事ならこんな個人的な質問に答えないはずだし、あのハイウェイ・パイレーツが知事のふりをしてかけてきたのなら、なにか適当な返事をするだろう。

「もしもし」モーゼスはいくぶん高い声で言った。「モーゼス・カスターです」

「ああ」クリムはいらだった声を出すと、官邸の二階の執務室から外を眺めた。そこからは円形のドライブウェイと警備員の詰所が見渡せるが、彼の目にはぼんやりとしか見えない。

「ずいぶんいいかげんな病院だな。さっき電話に出たのは無礼なやつだった」

「ええ、ここはめちゃめちゃよ」別の甲高い声が電話線を伝わってきた。「痛てっ」男の声が叫んだ。「管、踏んでるぞ。また引っこ抜かないでくれよ。入れ直すのすっごく痛いんだからな」

　押し殺した言い争いが続いて、知事にもなんとなく様子が飲み込めた。モーゼスは尿道に差し込んであるカテーテルを看護婦に抜かれて、また尿瓶《しびん》を使うはめになるのを恐れているらしい。

「尿瓶なんか使わんぞ」モーゼスは看護婦に言った。「あんなの使った日には、ベッドもなにもかもぐしょぬれだ。管に気をつけて、トレイをもってとっとと出ていけ。なにかこぼしたり、フォークでおれを突きさしたりする前にな。ああ、知事、どうも失礼しました。看護婦がおかしいんですよ。パーなんとかいう病気か、どっかが萎縮する病気じゃないですかね。近づくたんびにぶつかってきてひどい目に遭わされる、ハイウェイ・パイレーツにやられて、カボチャごとトラックを盗まれたときみたいに」

「そうか、その病院には行かないように注意しよう」知事はトルーパー・トゥルースの最新のコラムを拡大鏡で眺めながら言った。

「それがいいです。前を車で通るのもやめたほうがいい。なかに入るなんてとんでもない。わたしの心からの願いはね、知事、あんたさんが入院なんかせずにすむことですよ。ご健康とご冥福《めいふく》をお祈りしてます」

「なんだって？」知事はトルーパー・トゥルースが彼個人に向けたアドバイスを読んでいるところだった。「冥福だと？」

「いや、あの……」モーゼスの狼狽《ろうばい》した声を聞いて、知事は鎮静剤で頭が混乱しているのだろうと思った。

「実は、ほかでもないが」クリムは本題に入った。「きみが襲撃に遭ったと聞いて、見舞いかたがた、私が個人的に心配していること、退院後もひきつづき身辺警護を続けさせる所存だということを伝えたかったのだ」

「ほんとですか？」モーゼスはトレイが床に落ちたときよりも甲高い声を出した。

「もちろんだ。きみはバージニア州民であり、この非凡にして傑出したわが州のすべての市民を守ることこそ、知事としての最大の責任なのだ。それで、いつそこを出る予定かね？」

知事はブラジル州警察官の覆面パトカーが正面ゲートをくぐって、ドライブウェイに入ってくるのに気づいた。今朝あの若い警察官が官邸に来る理由は思いつかなかったが、おそらくレジャイナのことだろう。知事はほっとした。レジャイナにはなにか気のまぎれることをさせておく必要があるし、モーゼス・カスターの護衛も必要だった。

「今日中には帰れるって言われてるんですよ。あの看護婦に頭を割られたり、間違った薬を盛られたりしたら、話は別ですがね」モーゼスは言った。「ほんとにありがたいことです。知事とじきじきにお話しできるなんて夢みたいだ。袋叩きにされてカボチャを盗まれたと思ったら、知事じきじきに守ってやると電話をもらったなんてね。しかも、知事のせいでもないのに、事件のことを心配してもらって。カボチャが川をふさいだことで、警察沙汰になるようなことはないでしょうね」

「もちろんだ」知事は言った。アンディが車からおりると、サファリ・スタイルのレジャイナが玄関の階段を駆けおりてきた。

「ところで」知事は会話を打ち切る前にマスコミ効果を狙うことにした。「今度の土曜の夜、わたしのヘリコプターでレース場に乗りつけて、わたしのボックス席でウィンストン・シリーズを観戦しよう。それから、アンディ・ブラジルという州警察官を病院に差し向けて、自宅まで送らせよう」

「これはこれは」モーゼスは驚きと喜びを表した。「NASCARを生《なま》で見たことは一度もないんです、生まれてから一度も。チケット取るのも駐車場見つけるのも、えらいことだってね。こりゃ、オズの魔法の国に迷いこんだみたいだ」

クリムは執務室を出ながら、小型種の馬のことを考えていた。どこに行くにも案内役がつくというのは、どんな感じなのだろう。そろそろ、それを考えたほうがいいのかもしれない。視力は衰える一方だ。けさも官邸の広い階段をおりようとして、両手で手すりにつかまらなければならなかった。そして、またしても婦人用の居間のウィンザーチェアにすわって、両面焼き半熟卵二個とかりかりのベーコンひときれを注文した。だれも答えないとわかると、立ち上がって、廊下の反対側の紳士用の居間に入って、また同じことをした。あげくのはてはエレベーターに迷い込み、洗濯したてのシーツを二階に運ぼうとして乗り込んできたポニーに助けられた。

「ここはどこだ？」知事が聞くと、ポニーは朝食用の食堂まで案内してくれた。

「おかけください、知事」ポニーは椅子を引いて、知事の膝にナプキンをかけた。「よくお休みになれましたか？」

「ぜんぜん」レジャイナが山盛りのグリッツにバターをたっぷりのせながら答えた。「変な夢を何回も見たわ」

だれも彼女の夢にまったく興味を示さないので、レジャイナは覆面パトカーに乗ったとたんにそのことをアンディに言った。

「前にも同じ夢を見たわ」レジャイナは言った。「どうしていつもタイヤが出てくるのかしらね。どうしてタイヤの夢ばっかり見るんだと思う？　夢を見るたびに、タイヤがハイウェイを転がってるの、車はついてなくて、タイヤだけが」

「そのときあなたはどこにいたんですか?」アンディはシートベルトを締めながら、レジャイナにもそうするように促した。

「ベッドのなかよ、あなたには関係ないと思うけど」

「夢のなかでです」アンディは言い直した。

「あわてて逃げたわよ。ほかにどうしろっていうの?」レジャイナは言い返した。

「じゃあ、歩いてたんですね」

「あたりまえでしょ。あたしたち、お父さまが知事やってるあいだは運転できないの。どこにいくにも車で送り迎えされるわけ。いいかげん、うんざり」

「それでタイヤの夢を見るんだと思いますよ」アンディは言った。「自分ではどこにも行けないと感じている。あなたはタイヤのない車か、車のないタイヤみたいなもので、人生のハイウェイで立ち往生して、無力感と挫折感に打ちひしがれながら、世間から取り残されたと感じている」

知事夫妻は窓からレジャイナとアンディを眺めていた。

「あの二人、喧嘩でもしてるようですわ」知事夫人が言った。

「もう犬は飼えないな」知事が言った。

「犬がどうかしたんですの?　あなた」

「盲導犬はだめだ」知事が言った。「トルーパー・トゥルースの言うとおりだ。新しい犬が来たら、フリスキーがかわいそうだ。猫ならいいかもしれんが、盲導猫なんて聞いたことがないし、だいたいわたしは猫は大嫌いだ」

「猫はそんなふうに訓練できませんよ」ミセス・クリムは言った。「どこかに飛び乗るか、もぐりこむか、なにもしないか。そんなことしてる猫にあなたがつながれてるなんて、おかしいわ」

「つながれるわけじゃないわ」フェイスが食堂に入ってきて、不器量な妹がハンサムな警察官といっしょにいるのを妬《ねた》ましそうに見つめた。「小さいハンドルのようなものを握ってるのよ。トルーパー・トゥルースのコラムに盲導馬がいるって書いてあったわ。すぐ連絡したほうがいいって。フリスキーも馬ならやきもち焼かないと思うわ、お父さま」

「でも、官邸で馬を飼うなんて無理よ」ミセス・クリムが反対した。

「決めた」知事は言った。「今日中に手に入れよう」

「レジャイナはモルグになんか行ってだいじょうぶかしら」アンディとレジャイナの乗った車が見えなくなると、ミセス・クリムは心配した。

「あの子のためになるんじゃないか」知事は答えた。「自分がどれだけ恵まれているか気づいて、不平ばかり言わなくなるかもしれん」

「そうね」フェイスも言った。「生きてるだけで幸せだって気づくかもしれないわ」

知事は食堂を出ようとして、イギリス初の女性政治家レディ・アスターの等身大の肖像画にぶつかった。

「これは失礼」彼はつぶやいた。

バービー・フォッグもその朝はあちこちにぶつかった。昨夜の飲みすぎでふらふらしてベッドの角にぶつかり、トースターに肘をぶつけ、いまもうちょっとで前方の車にぶつけそうになった。けさにかぎって州間高速道路を走っていても周囲が気になったからだ。ふだんはボランティアのカウンセラーをしている大学内のバプティスト教会までミニバンを走らせていても、だれも彼女に注意を払わなかった。ところが、けさはほかのドライバーがみんなこっちを見ている。それでなくても注意力が落ちているのに、じろじろ見られて気が散ってしかたがなかった。

たしかに彼女は魅力的な女性で、身だしなみに気をつけて、いつも趣味のいい服装をしている。スキンケアに対する関心にはなみなみならぬものがあって、相談にくる女学生にはいつもお肌は神さまの賜物《たまもの》だと言っている。服やアクセサリーにいくらかけたって、肌が荒れていたらどうしようもない。だから、定期的にスキン・ドクターに通って、クレンジングクリームと保湿クリームはいいものを使い、日焼けしないことが大切だ、と。

そういえば、ゆうべ飲みすぎたあとで、グリコール成分を含んだパックをした記憶があるから、けさは特に肌の調子がいいのかもしれない。それにしても、どうしてみんなじろじろわたしを見るのかしら？　何度も警笛を鳴らされたし、さっきなんか、イヤリングをつけた男の人がポルシェですぐ横を追い越しながら、親指をあげてからかっていった。バービーはスピードを落としてフーターの料金所につけながら、虹のバンパーステッカーがガラス窓に誇らしげに貼ってあるのを見てほっとした。

「早いのね、二十四時間働いてるんじゃないの？」バービーは声をかけた。フーターはなんとなく元気がなさそうだ。「あたしたち二人とも虹をつけてるわね」

「ねえ、聞いてよ。ゆうべおかしな目に遭ったのよ」フーターはミニバンの後ろに車の列ができたことなどおかまいなしにしゃべり始めた。

変な男が路地裏のゴミ容器のそばで銃の包みの上にすわって、自分のあそこを撃とうとしたことをくわしく話した。

「それから、あたしがゆうべデートした大男のおまわりさんだけど……そうだ、あんた知るわけないわね、彼のこと。とにかく、その人をママのとこに送ってったのよ。そしたら、ちょっとセックスしようって言うんだけど、できるわけないじゃない。だって、ママが隣の部屋にいるっていうのに。壁に張りついて聞き耳立ててるわよ、きっと。だから言ってやったの。『どうしていつまでもママと暮らしてるの？　あんたの言うこと聞いて、もしママが入ってきたらどうするの？』って。想像できる？」フーターはバービーに聞いた。「あの大男のおまわりのお馬さんに乗ってるとこへ、寝巻き姿のママが入ってきて、カウチのそばに立ってるとこ。考えただけでぞっとするわ。あの人、ほんとに変だよ」

「お馬さんて?」バービーは事情が飲み込めないままにショックを受けていた。

「ああ、ニックネームみたいなものよ、あのちょっとないぐらい大きな……」フーターの声は警笛の音にかき消された。「……といっても、まだじかに見たことはないんだけど。でも、馬房から出たくて暴れてるところをみると……あたしがなに言ってるかわかる? でもね、ほんとにあんな大きな……」警笛がいっそう激しく鳴り出した。

「騒ぎといえば、あたしもなんかしたみたいなの」バービーは打ち明けた。「だって、ここに来るまで、みんなにじろじろ見られたし、警笛鳴らして、道路から追い出そうとしたり……」そのとき、泥よけをつけた大型ピックアップトラックがしびれを切らせて隣の車線に割り込んだ。トラックのドライバーのババ・ラヴィングが、バービーのミニバンに向かって、嫌味たっぷりに中指を立ててみせると、なにかわめいた。「どうして、あたしの名前を知ってるの?」バービーはフーターに叫んだ。「あの人、一度も会ったことないのに、あたしの名前を叫んだわ。これでも読唇術はけっこう得意なの」

「そうじゃないと思うよ」フーターは遠ざかるピックアップをにらみつけながら言った。

「ああいうやつ大嫌い。フロントガラスに南部連合の旗つけて、ナンバープレートにわざわざババなんて名前書いたりしてさ。隣の料金所に行ってくれてやれやれよ。あんなやつのお金なんか手袋しててもさわりたくない。そうそう、あれはあんたの名前呼んだんじゃないからね」フーターはそれ以上は言いたくなさそうだった。「第一、あんたの名前知ってるわけないでしょ」

「ぜったいにフォッグと言った」

「ちがうってば。聞いて楽しいようなことじゃないよ。たぶん、あのババってしけた白人男は、ファッグ《同性愛者》と言ったんだと思う」

「なんかよくわからないけど」バービーは納得のいかない顔で言った。「ほんとにフォッグって言ったんじゃないのね？」

「追っかけて聞くわけにはいかないけど。ああいういけ好かない白人は、たぶんクローゼットに頭巾入れてるよ。あたしの言ってることわかる？」

　バービーにはなんのことかわからなかった。

「白いシーツよ」フーターは説明した。「あいつ、十字架燃やして黒人を脅かすクー・クラックス・クランのこの州の首領だったりして」

「十字架を燃やしたりしたら、地獄に落ちるわ」信心深いバービーは強い口調で言った。

「あんなやつが死んでからどこへ落ちようと知ったことじゃないけど。この窓口に近づいてきて、あたしの住所聞き出して、窓から銃を撃ち込んだり、裏庭で十字架焼かれたりするのはごめんよ。といっても、うちには裏庭なんかないから、十字架燃やすんなら駐車場でやるだろうけど」

「ほんとに変な人ってどこにでもいるのね」バービーは気落ちした声を出した。「世の中どんどん悪くなっていくみたい」

「ミレニアムとかなんとか言っても、悪くなる一方だもんね。どこまでひどいことになるのか想像がつかない」フーターは心からバービー・フォッグの意見に同感した。

アンディもどこまでひどいことになるのか想像がつかなかった。九番通りを曲がってモルグに向かいながら、助手席でガムを噛みながらスキャナーをいじっているレジャイナに閉口していた。

「これ、どうやったらライトつけてサイレン鳴らせるの？」レジャイナが聞いた。

「いまはライトもつけないしサイレンも鳴らさない」アンディはきっぱり言った。

「どうしてよ？　殺人事件の捜査やってんでしょ。つけたかったら、つけたっていいんじゃないの？」

「だめです。だれかを追跡しているわけでも、急いでるわけでもない」アンディはいらだちを抑えるのに苦労した。

「なんか、きょうはかりかりしてるみたいね、あたしたち」レジャイナは窓から、駐車する場所を探したり、寒そうな顔で道路を横断するのを待っている人びとを眺めながら言った。

これまでは世間並に不便を忍《しの》ぶという体験をしたことがなかったのだが、きょうは久しぶりに満ち足りた気持ちだった。やっと要人警護課《EPU》の州警察官から解放されて、新品のパトカーでアンディとモルグに向かっているのが、いまだに信じられないほどだった。

「あたし、きっといいパートナーになれると思うわ」レジャイナはまた言った。「これでも、いろんなこと知ってるんだから。あなたや、こう言っちゃなんだけど、あの女検屍官も知らないようなことでも。きっと、知らないと思うけど、流砂にはまっちゃったらどうしたらいいと思う？」

「流砂にはまるようなまねはしない」アンディは答えた。「ちゃんとよけますよ」

「でもね、言うは易《やす》しなのよね。簡単によけられるんだったら、吸い込まれて死ぬ人なんかいないわ。どうするかっていうと、腕と脚をひろげて、水に浮くみたいにするの」レジャイナはそのかっこうをしてみせた。「それからステッキを背中の下に入れて、お尻が沈まないようにしておいて、脚を引き上げて脱出するわけ。それから、ドアを蹴破りたいときは、錠前を蹴る。車のロックをはずしたいときは、アレンレンチとボビーピンがあればＯＫ。ニシキヘビやワニやアフリカミツバチに襲われたときにどうしたら死なずにすむかも知ってるわ」レジャイナは自慢した。「タクシーのなかで赤ちゃんを産む方法とか、パラシュートが開かなくても助かる方法も」

「全部『最悪の場合のサバイバル・ブック』で読んだからでしょう」アンディはそう言っ

て、相手をぎゃふんといわせた。「官邸でのんびりすわって、そういう非常事態のことを本で読んだからといって、実際にそうなったとき身を守れるとはかぎりませんよ」

「お父さまが誕生日にくれたのよ」レジャイナはすまして言った。「お姉さんたちにはああいう本プレゼントしたりしない。そろいもそろって冒険になんの興味もない腰抜けだもの。パイロットが心臓発作起こしたとき、フェイスが飛行機を着陸させようとするとこなんか想像できないし、砂漠や海で遭難したら、コンスタンスはパニック起こして死んでしまうわ」レジャイナはナップザックをごそごそやって、黄色い表紙の小型のハンドブックを引っ張り出した。

「ねえ、パラシュートが開かなかったら、どうする?」隅を折ってあるページを開きながら、アンディをテストしようとする。開いたページにはチョコレートらしい茶色いしみがついていた。

「飛び降りる前にパラシュートをチェックするでしょうね」アンディの忍耐はいまにも切れそうなギターの弦のように張りつめていた。

「雷が落ちたらどうする?」

「逃げます」

「大きな木の下に?」レジャイナはなんとしてもアンディから間違った答えを引き出そうとした。

「まさか」

「一〇〇フィートまで潜水して、酸素がなくなったら？」レジャイナはなおも挑んだ。

「潜水なんかしない」

レジャイナはハンドブックをぱたんと閉じて、ナップザックに押し込んだ。

「あたし、いつ制服もらえるの？」レジャイナは怒りを募らせながら聞いた。

「警察学校に通って、卒業したら。一年近くかかる。「入学させてくれたらの話ですが」

「させるに決まってるじゃない」

「知事の娘だからって無条件で入れるわけじゃない」アンディはいくぶんきつい口調で言った。「それに、ぼくはあなたがだれか紹介するつもりなんかない。研修生を連れてきたと言うだけだ」

「だったら、自己紹介するから」そう言うと、レジャイナは窓を開けてガムを指先ではじき出した。

「賢明なこととは思えませんね。親の七光はもうやめて、あなたという人間を好きになってもらうように努力したらどうですか？　それから、窓から物を捨てるのはやめてください」

「好きになってくれなかったら？」急にしょんぼりした声になった。「きっとそうよ。知事の娘だってわかってても、だれも好きになってくれたことないのに。それもわからなかったら、どうして好きになんかなってくれるの？」

「とにかくどうなるかやってみて、このへんで現実に目を向けたほうがいいと思うな」アンディは車をクレイ・ストリートに入れた。「それで、だれも好きになってくれなかったら、それはあなたのせいだ」

「やめてよ。なんで、あたしのせいなの？」レジャイナは耳障りな大きな声を出した。「しょうがないじゃない、生まれつきなんだから」

「わがままで無礼な態度をとるのは、あなたが選んだことだ。それから、ぼくは耳は悪くないですから――いまのところは。大声を出さないでください。ちょっとは人のことも考えたらどうです？　自分のことばかりじゃなくて。たとえば、さっきあなたが捨てたガムを踏んだ人はどうです？　職場に急いでいて、靴をはきかえる時間はないかもしれないし、家に病気の赤ん坊を置いてきたかもしれない」

レジャイナはこれまで一度もそんなことを考えたことはなかった。

「だれもあなたを好きになってくれないのは、あなたがだれも好きじゃないからだ。相手にもそれがわかるんです」アンディはレンガ造りのモダンな建物の裏に車を入れた。バイオテック2と呼ばれている建物で、検屍局とバージニア州立犯罪科学研究所がある。

「どうしたらいいかわからないんだもの」レジャイナは打ち明けた。「だれからも一度も教えてもらわなかったら、やり方がわからないでしょ。これまでずっとこういうふうで、みんなから特別扱いされてきたから、ほかの人のこと考えるチャンスが一度もなかった」

「じゃあ、やっとそのチャンスがめぐってきたわけだ」アンディは訪問者用スペースに車をとめて外に出た。「あなたがぼくを人とも思わないなら、ぼくもあなたを人とも思わない。モルグはいい場所かもしれませんよ。死者に敬意を払う練習をして失敗しても、相手は気にしないから」

「そうね」レジャイナはいそいそとアンディのあとについて歩道からロビーに入った。「だけど、相手の感情を大切にしようったって、相手がもうなにも感じないわけだから」

「それが思いやりや気遣いというものです。あなたには馴染みのない言葉だろうが」アンディは受付で記帳した。「ここに運ばれた気の毒な人たちがどんな目に遭ったか、友人や遺族がどんなに悲しんでいるか考えるといい。きょうだけは自分のことは考えないで。ああ、それから、もし不愉快な態度をとったら、それで終わりですからね。ぼくは我慢するつもりはないし、検屍局長もそうだ。即座にあなたを叩き出すでしょう」

「そんなことしたら、お父さまに首にさせるわ」

「知事の首が危なくなるかもしれませんよ」

アンディはレジャイナに小さな手帳とペンを渡した。電子ロックがはずれると、二人は検屍局長のオフィスに向かった。

「メモをとるんですよ」アンディは指示した。「ドクターたちが言ったことは全部書きとめること。口は開かないこと」

レジャイナは命令されるのには慣れていなかったが、入り口のデスクに並べられた生々しい解剖写真を見たとたんに、いつもの威勢と身勝手さが影をひそめた。事務の女性たちはアンディとは顔見知りらしく、みんな愛想がよくて、彼に気があるようだった。アンディがレジャイナを研修生だと紹介すると、レジャイナは注目の的になった。

「あなたってラッキーね」ひとりがレジャイナに意味ありげにウィンクした。

「どうしたらあたしも研修生にしてもらえるの？」別の女性がアンディにほほ笑みながら聞いた。

「あら、あたしだって、あなたにいろいろ教えてもらいたいわ」もうひとりの女性が言った。

「川で焼死した被害者の件で来たんだ」アンディは事務的な口調で言った。「担当はドクター・サワマツかな」

「いいえ。彼はまだ来てないわ」

「局長は？」アンディはドクター・サワマツがいないときいてほっとした。できれば、このまま来てもらいたくなかった。

第一に、ドクター・サワマツの英語はわかりにくくて、特に医学用語を連発されると、理解するのに大変な思いをしなければならない。それに、ドクター・サワマツには妙に冷淡なところがあって、遺体に対して冷酷でシニカルな印象を受ける。アンディは相手が死者であろうと、被害者に思いやりを示さない人間は許せなかった。そして、それ以上に、サワマツがことあるたびに自慢する、あの秘密のコレクションが許せなかった。彼が人工関節や移植された乳房やペニス、ガラスの義眼、墜落事故や自動車事故などの現場から運ばれてきたさまざまな部品や破片を収集しているのはだれも知らないのではないか。コレクションはオフィスではなく自宅に置いてあるから、おそらく局長も副局長のこの下劣な趣味を知らないのだろう。

「彼女に言ったほうがいいな」カーペットを敷いた長い廊下をドクター・スカーペッタの続き部屋のオフィスに向かいながら、アンディは考えていたことを声に出した。

「だれになにを言うの？」レジャイナがオフィスのなかを見まわしながら聞いた。デスクには顕微鏡が何台も並び、ライトボックスにエックス線写真が留めてある。

「質問はなし。爆弾を調べているぐらいの覚悟で、ここにあるものに触れたり、ちょっとでも動かしたりしないこと」アンディは警告した。「それから、ここで見聞きしたことは、ぜったいに漏らさないこと、家族にもしゃべらないで」

「やってみるわ」レジャイナは答えた。「だけど、秘密持ったことなんか一度もないから」

バービー・フォッグは、もともと人の秘密を聞くのが好きだったが、いまは人に聞いてもらいたいことがあった。レニーも秘密を持っているのではないかと心配だったのだ。それで、高速道路の次の出口でいったん出て、ぐるっとまわってまたフーターのいる料金所に戻ってきて、結婚生活の危機を訴えた。

「レニーったら、出張から戻ってきたと思ったら、また出張だと言って、おまけに女友達がほしいなんて言うのよ。出張中に浮気してるんじゃないかしら、あたしがもうセックスしたがらないから」バービーはなにもかもフーターに打ち明けた。「レニーは不動産を売るのが仕事で、家にいるときはすることがないから、双子の娘たちの子守をするぐらいで。だから、浮気する時間はいくらでもあるわ。それに、悪いことに、大切な会議があってシャーロットに行くことになってるから、あたしはあんまり家を空けられないの。ということは、あなたとも丸一週間会えないことになるわ」

バービーもフーターもがっかりした。二人はまるで百年の知己《ちき》のようだった。

「どうしましょう、あなたに会えなくなるなんて」バービーは嘆いた。

「あたしだって、あんたがここに来てくれなくなったら、さびしくて死にそう。これからだれと話したらいいの？　ご主人、なんでシャーロットなんかに行くの？　だれもかれもノース・カロライナ州に行きたがるんだから。まるで約束の地かなんかみたいじゃない。あたしはノース・カロライナに行ったことないのよ。あそこのなにがそんなにいいのかしらね」

「休暇でも街を離れないの？」バービーは聞いた。後ろに車の列ができて、さかんに警笛を鳴らしている。「明日の夜、いっしょにNASCARに行かない？　いっしょに行けたら楽しいし、ハンサムなドライバーが見られるわ。でも、午後は仕事を休んでもらわなくちゃ。早めに行って、ピットのあたりをうろついて、ドライバーたちが出てきて車に乗り込むのを見たいの。いっしょに写真撮らせてくれることもあるわ。ああ、あの感激、あなたにも味わわせたい。カラフルなぴちっとした耐火性のジャンプスーツを着た、ハンサムなストックカーのドライバーと腕が組めるのよ」

「あたし生まれて一度もNASCARに行ったことないし、アフリカ系アメリカ人のドライバーなんてひとりも見たことない。だから、わからないけど」フーターは辛抱強く待っているドライバーにはまったく注意を払わなかった。「一日休んじゃおうかな。姉さんの結婚式に出たときから、ずっと休みとってないんだもの。あたし、花嫁の付き添い娘のボスになったの」フーターはピンクのロングドレスでめかしこんで結婚式に参列したときのことを思い出してにっこりした。シースルーの袖にビーズやリボンがいっぱいついた豪華なドレス。「最高だったわ、あれは」

「おい、そこの二人、いつまでも金魚の糞《ふん》みたいにつるんでないで、待ってるやつらのことを考えたらどうだ。魚の餌にするぞ」ババ・ラヴィングが泥よけのついたトラックから叫んだ。

「なに、あの人？」バービーは付箋に電話番号を書きながら聞いた。「さっきのいやらしい人じゃない、あの人。なんで大声で釣りのことなんか言ってるの？」

「そう言うんなら、こっちのことも考えて」フーターはババにどなり返した。

「ほら、これ」バービーはフーターに付箋を渡した。「二、三時間したらここに電話して。大学のバプティスト教会にいるから、レースに行けるかどうか返事して。そうすれば、チケットをどこかの運のいい人に譲らずにすむわ。ぜったいに来てね。おしゃべりできる女友達って最高だもの」

「だいじょうぶだと思う。いいえ、行く、ぜったい行くわ」フーターはだんだん興奮してきた。「当てにしてくれていいわ。交代の人が見つかりさえしたら行くから。ここに迎えに来てくれない？　ええと、何時にする？」

「三時きっかり」

「ちょっと家に戻って着替えて、ここで待ってる、なにかないかぎり。そしたら、あんたのみじめなセックスライフについてたっぷり話す時間があるわ」

「楽しみだわ」バービーは元気よく手を振ると、七十五セント払うのを忘れて車を出した。警報機が鳴り出した。「虹のおかげよ。魔法だわ、なにもかも魔法よ」

「おしゃべりは人が待ってないときにしたら」ラモニアはダッジ・ダートから叫んだ。「このぶんじゃ料金所を通る前に死んでしまいそう」

ラモニアは当然ながら機嫌が悪かった。夜は目がよく見えないせいで手錠をはめられたと思ったら、今度は渋滞に巻き込まれた。それも白人と黒人のレズビアンが料金所でいちゃっいていて、人種差別主義者の白人ドライバーがヒステリーを起こしたせいで。世の中、どこまで悪くなるのだろう。神さま、どうかお慈悲を。ラモニアは祈った。この星は自滅の一途をたどっている。この調子では、イエスさまが愛想をつかして、おりてこられるのは時間の問題だが、ラモニアはまだお迎えの準備ができていなかった。どうか、もう少しお待ちを。日曜ごとに彼女はもう少し地上に置いていただきたいと祈っていた。もしいまイエスさまが雲に乗っておりてこられて、信じる者をみんな天にお連れになるとしたら、ラモニアはおおぜいの友人や近所の人を残していくことになるからだ。

「イエスさまに命を捧げなさい」ラモニアは手袋をはめた手に一ドル札をのせながらフーターに言った。

「あんたにそんなこと言われてもねえ」フーターは二十五セント硬貨を三枚料金箱に入れて、一枚ラモニアに返した。

「女同士でべたべたするなんてみっともない」ラモニアは手厳しかった。「罪の許しをイエスさまに祈りなさい。命を捧げて、お役に立てていただくのです。イエスさまはもうじきおりてこられるのだから。そこにすわって、通りすがりの人と邪《よこしま》な行為にふけっているうちに、気がついたら、待っていた車の半分のドライバーが消えてたなんてことになりたくないでしょ。その人たちはイエスさまと天に昇ったんです」

「聞かせて。もっと聞かせてよ」フーターはこの即興説教師を促した。

だが、ラモニアは促されるまでもなかった。「男が二人、畑を耕していたら、突然ひとりいなくなった。女が二人、コインランドリーで洗濯してたら、突然ひとりいなくなった。あなたが高速料金を徴収してて、突然ドライバーの半分がいなくなったら、まだそこにすわっていることを残念に思うでしょう。あなたは取り残されたわけだから」

「なんだかイエスさまをお迎えする気になってきたわ」フーターはきっぱりとラモニアに言って、二人は電話番号を教え合った。「ほんとに、楽しみになってきた。ずっとそれを待ち望んでたのよ。イエスさまが地上に戻ってこられる。きっとそうなるとずっと思ってた」フーターは料金所の天井を見あげた。「どうか、早く来てください。いますぐに。待ってます。雲に乗ってここにおりてきても、料金なんか取りません」

「だめよ」ラモニアは反対した。「いますぐだなんて。まだしなければいけないことがうんとあるのに、ばかね。ほら、あの罪人たちをごらんなさい。何マイルもつながってるわ。まず彼らのために祈りましょう」

フーターは警笛を鳴らしている長い車の列を眺めた。

「あんたの言うとおりだわ。あの人たちまだイエスさまを迎える準備なんかできてない。あんなにいらいらして自分のことばっかり考えてるもの」フーターは悲しそうに首を振った。

「やっぱりもうちょっと待ってくださいって祈ったほうがいいみたい。イエスさま、もうちょっと時間をください」フーターが祈っているあいだに、ラモニアは車を急発進させて、前の車に追突した。「お願いします、土曜の午後は休ませてください。ちゃんと聞いてます？ささやかな休暇をください」フーターは祈った。「イエスさま、あたしの願いはそれだけなんです」

22

「ああ、神さま」ドクター・フォーはフォニーボーイと漁船で海を漂いながら祈った。「これでもう一晩と午前中の半分こうしています。寒くて、ひもじくて、あと一時間ももちそうにありません。どうか、お助けください」

フォニーボーイは錠のついた荷物置き場にもぐり込むのをあきらめて、ハーモニカで調子はずれの音を出しながら、気をまぎらすために手を動かしたり、深呼吸したり、息をつめたり、さまざまな方法を試していた。いっそ歯医者もろとも島の連中につかまって、あの薬品貯蔵室に連れ戻されたほうがましかもしれない。それにしても、ソーダ水も食べ物も船に積んでおかなかったのが、かえすがえすも悔やまれる。本土まではすぐだから、よもやそんなものが必要になるとは思わなかったのだ。

「ついてないよ。この潮の流れだと、島にUターンしそうだ」彼はドクター・フォーに言った。

「陸なんか見えんじゃないか。どこにも見えんぞ、フォニーボーイ。それに、島に近づいてたら、とっくにつかまってるはずだ。あとは目隠しされて板の上を歩かされて、海の藻屑と消えるだけさ。禁漁区に流されたんじゃないのか。だったら、島の漁師も近づかない。死ぬまでここでこうしてるだけだ」

「ちがうよ」フォニーボーイは言った。「潮はあっちに流れてるだろ」水面のさざ波をさしてみせた。「いまごろはおれたちが船で逃げたってばれてるだろうから、ぼやぼやしてたら、とっつかまって聖書の文句覚えさせられる」

「本土に逃げたと思ってるかもしれんぞ。連中も本土までは探しにこない。それよりも、あのいまいましい南京錠の数字は思い出せんのか？　フレアガンか、せめて合図を送る鏡ぐらい入ってるんじゃないか？」

フォニーボーイは錠の組み合わせ数字を知っているはずなのだが、どんなに頭をしぼっても思い出せなかった。家族の誕生日、タンジール島の郵便番号、あちこちの電話番号も試してみたが、どれもだめだった。彼はハーモニカを船べりに当てて、溜まった唾を出すと、今度こそまともな曲を吹こうとしたが、ハ長調で吹くつもりが、例によって四番目の穴から始めてしまった。

「よく考えてみるんだ、フォニーボーイ」ドクター・フォーは少年を励ました。「こういう数字は忘れないように工夫するものだ。きっと、お父さんもそうしてる。お父さんにとって、なにか意味のある数字のはずだ。両親の結婚記念日は？」

それも思い出せなかった。フォニーボーイはハーモニカの低い音のほうに口をつけて、大好きなダン・エイクロイドばりにブルースの即興演奏をしようとした。

「そういえば、漁師は羅針盤を使うな」歯医者がまた言った。「お父さんがカニ捕り籠を調べにくるときに使ってた羅針盤があるんじゃないか？」

「カニ捕り籠」という言葉が、ほとんど動かず波間に浮かんでいる漁船から漂って海中に入り、やがて海底に達した。そこではおびただしい数の学名カリネクテス（ギリシャ語で「美しい遊泳者」の意）・サピドゥス（ラテン語で「美味」の意）が、カニの聖域の平穏と静寂を楽しんでいた。そのなかには知事官邸のバケツからの逃亡者たちもまじっていて、そのうち一匹の、大きな青い爪と脚を持った並はずれてハンサムな雄が、海面から漂ってくる人間の声とかすかなハーモニカの音色の源を偵察しにいくことにした。仲間を海底の沈泥に残して真っ暗な水のなかを浮かびあがると、海面下二〇フィートほどのところから漁船の底が見えた。話し声がはっきりと聞こえる。

「羅針盤なんか使ってなかった。いまはそんなもの使わないんだ」若い男の声だ。あのやせっぽっちの金髪の島の子、毎朝、暗いうちに籠をおろしにきては海賊の宝の話をしている男の子だ。

「そうか。じゃあ、私書箱の番号は？」別の声がした。こっちは聞き覚えがないが、しゃべり方からして本土の人間らしい。

フォニーボーイは私書箱の番号を試してみたが、これもだめだった。

「ラッキーナンバーはどうだろうな。お父さんは縁起のいい数字にこだわっていなかったか？」

フォニーボーイが思い出せるのは13ぐらいだったが、南京錠はびくともしない。今度は即興なしで「オー・スザンナ」を吹いたが、それはなんとかその曲に聞こえた。

「お父さんの好物の食べ物や飲み物で数字のついたのはないか？」ドクター・フォーはまだあきらめなかった。「ハインツの57ソースとか、セブンアップとか、ツー・アラーム・チリとか」

「父さんはセブンアップが好きだよ」フォニーボーイはかすかに希望の光が見えたような気がした。「あれを飲みながらスパンキーの店のアイスクリームを食べるのが大好きだ。あんなにあれ飲む人ほかにいないよ。けど、錠には四つの数字がいるんだよ。七だけじゃどうしようもない」

「アップも足してみたら？」

フォニーボーイは「オー・スザンナ」の途中で止まっては最初に戻って、さっきから同じメロディーばかり吹きつづけていた。

「アップを数字にしたらなにになるかな？　フォニーボーイ、おまえも考えろよ」

「羅針盤にアップなんてないよ。あるのは北と南と東と西だけだ」

「アップは北じゃないかな。北のニューヨークに行くときはのぼりと言うし、南のフロリダに行くときはくだりと言うじゃないか。三六〇はどうだ？　三六〇度ぐるっとまわれば北になる。つまり、セブンアップは七三六〇なんだ」

二人の話を聞いていた偵察係のカニは、紡錘形の体をぐるっとまわして、あわてて海の底に戻った。早く下で心配している仲間に教えてやらなくては。

「上にいるのは七人だ」彼は仲間に叫んだ。「そいつらは法律を破って、禁漁区に籠をおろす気でいるぞ。なにか方法を考えて、逮捕させよう」

上にいる七人はカニとマスを探しにきた漁師たちだと彼は説明した。もっとも、このところ、あのマスには会っていない。ひょっとしたら、あのセブンアップ・ギャングは（連中はそういう名なのだろうと彼は想像した）海賊で、知事にカニとマスを官邸に連れ戻したら、罪を許してやると言われたのかもしれない。ワタリガニは先祖代々海賊を見慣れているから、海賊をえらいともこわいとも思わなかった。海賊はいつも怒っているか酔っ払っているかだから、カニにちょっかいを出したり追いかけたりはしない。何百年も前からずっとそうだ。それに、この湾の底には古い大砲や金貨や宝石があって、カニたちはいつもその上をちょろちょろしているが、だからといって、ほかの甲殻類も含めて、彼らの生活がそれでちょっとでもよくなるわけではない。はっきりいって、カニたちは海賊の宝なんかに興味はないのだ。

だが、あのフォニーボーイという島の少年はおおいに興味があるらしい。偵察係のカニは、泡だつ沈泥を突っ切って大陸棚に向かった。そこに難破したスループ帆船が沈んでいる。砲撃を受けて浅瀬で沈んだのだが、何世紀もたつうちに波に運ばれて現在の位置に落ち着いたのだ。カニは錆びた碇《いかり》のまわりを探して、小さな鉄片をつかんだ。そして、精いっぱい泳いでまた漁船に戻ると、船外モーターによじのぼって鉄片を宙に投げた。みごとに狙った場所に落ちた。澄んだ音色を出すために口をすぼめて「フィッシュ・フェイス」の練習をしているフォニーボーイの膝の上に。

「すっげえ！」フォニーボーイは驚いて叫んだ。「見てよ、これ」

彼は鉄片をしげしげと眺めて、古い難破船のものだと確信した。

「きっと天から降ってきたんだよ。この下に海賊船があるってお告げだよ」興奮して声が上ずっている。長い苦労の末にやっと運が開けたのだ。「目印つけとかなきゃ、わからなくなっちまう」

目印をつけるにはカニ捕り籠をおろすしかなかった。数分後、逃亡者のカニたちはワイヤーの籠がするするとおりてきて、海底からかなり上でとまるのを見守っていた。ロープの長さが足りなかったのだ。

偵察係のカニは口をすぼめてにんまりした。これからどうなるか予測がついた。島の連中は単純なやつばかりだ。あの少年は欲に駆られて、禁漁区でカニ捕り籠をおろした。これで、あのセブンアップ・ギャングがぶちこまれるのは時間の問題だ。

ポッサムの計画も着々と進んでいた。いろんな色のTシャツから切り取ったはぎれを縫ったり糊で貼ったりして、旗らしきものができてきた。

「ほら、見てみな」ポッサムはポパイにささやいた。

旗をベッドにひろげると、ポパイはぎょっとした。骸骨がにやにやしながら煙草を吸っている。

「これでNASCARに持ってく旗ができたぞ」ポッサムは自慢げに言った。「これをピットにぶらさげてピットクルーのふりしてたら、きっとだれかが旗を見にきて助けてくれるよ。うまくいかなくても、スモークはこの旗が気に入ってるから、これからはちょっとはやさしくしてくれるかもな。タンジール島に逃げたら、おまえといっしょにこっそり抜け出して、いちばん近くの漁師の家に逃げ込もうな」

ポッサムは旗に針を刺したり抜いたりして、ジョリー・グッドレンチという文字を刺繍《ししゅう》した。

「そしたら、おまえをハマー署長に返してやるよ。おれがモーゼス・カスターを撃ったのを警察が忘れてくれるといいな。そしたら、たまにおまえに会いに行けるもんな。ハマー署長がおまえのベビーシッターのバイトさせてくれたりして。なあ、どうだ？」

ポパイはとてもいいアイデアだと思った。ポッサムはTシャツの切れ端と針と糸と接着剤で旗を作りつづけた。できあがったものは思っていたとおりとはいかなかった。旗は片面だけで、旗ざおやアンテナや棒につけて掲げればいいと思っていたからだ。だが、それを別にすれば、まずまずの出来栄えだった。NASCARの旗でも海賊の旗でもなく、その両方のミックスだった。

ポッサムはできあがった旗を壁に留めて、ベッドに寝そべると、スモークがどんな反応を示すだろうと想像した。だが、土曜のレースのことを考えると、だんだん心配になってきた。この計画が望みどおりにいかなかったらどうしよう。もうトラブルはごめんだ。うちに帰れて、昼間はずっと地下室にいて、暗くなったらそっと街をうろつけるのなら、それだけでいい。逮捕されるんじゃないかとびくびくしなくてすむのなら、ほかにはなにも望まない。テレビのニュースで見たけれど、モーゼス・カスターはまだ入院しているが、容態は安定しているそうだ。舗道にころがっていたあの気の毒な男にピストルを向けて、引き金を引いたときのことを思い出すと、ポッサムはいまでも胸が震えた。

どうしてあんなことをしてしまったのだろう。あのときはただスモークがこわかった。ひとりだけ違うことをしたり、気がとがめるようなそぶりを見せたりしたら、頭に弾をぶち込まれて一巻の終わりだ。そんなことになったら、ママがどんなに悲しむだろう。ポッサムが殺されて、黒と白のちっちゃな犬の死骸といっしょにどっかに捨てられていたとニュースで聞いたら、ママはどんな気持ちがするだろう。こんなときにベン・カートライトかリトル・ジョーかホスが助けに来てくれたらいいのに。でも、これまでテレビで見た『ボナンザ』シリーズでは、ポンデローサには黒人の男の子なんかいないらしい。

「きっと黒人が嫌いなんだ」ポッサムはベン・カートライトの革ベストと真っ白な髪を思い浮かべながらつぶやいた。「黒人は昔は奴隷だったから。だから、だれかが馬に乗って助けにきてくれるなんて考えるほうがばかなんだ。カートライト兄弟が南部連合の旗をあげるわけないし」ポッサムはテレビの後ろの壁に留めたジョリー・グッドレンチを見つめた。「ポンデローサには南部連合の旗なんかなかったし、奴隷もいなかったもんな。ホップ・シンは別だけど。彼は中国人で、料理と掃除さえしてれば、あとは自由だったんだ」

ポッサムはカートライト兄弟になにか償《つぐな》いができないだろうかと考えた。彼らは最近のポッサムのひどい行動に心を痛めているにちがいない。

「モーゼスのことは悪かったよ」ポッサムはホスに話しかけた。

「ああ、小さい兄弟、あれはなかったぜ」ホスが答えた。

「しかたなかったんだよ、ホス。こわかったんだ。言われたとおりにしないと、スモークに殴り殺されてた。ポパイも溺《おぼ》れ死んでたかもしれない。できるんだったら、もういっぺんやり直したいよ。引き金引く前に逃げ出したかったよ。けど、もう手遅れなんだ。このクラブハウスに来てしまったからには」

「まだなんとかなるさ、兄弟」ホスが白いテンガロンハットの下から言った。「すんだことはしかたがないが、まだやり直せる」

「どうやって？」ポッサムは今度はベンに聞いた。

ベンに大きな馬にまたがっていた。これからカーソン・シティまで用足しにいくところなのだ。彼はポッサムを見おろして、ちょっと笑った。

「モーゼスに電話して謝ったらどうだ？」ベンはびしっと手綱を振った。「それから、コフィー保安官のとこに自首したほうがいいだろうな」そう言うと、馬を駆って遠ざかっていった。

ポッサムは暗がりのなかでゆっくりと携帯電話を開いた。どきどきしながらキャンピングカーのなかにだれもいないか様子をうかがった。しんとしているのを確かめてから、番号案内サービスに電話して、五十セントで、モーゼスが入院しているとニュースで聞いた病院につないでもらった。

「モーゼス・カスターをお願いします」ポッサムは小さい声で言った。

「どちらさまですか？　リストにお名前のある方しかおつなぎできません」

ポッサムはなにかうまい手を考えようとした。「リストの三番目です」

交換手がリストをチェックしている気配を聞きながら、このデイル・アーンハートのナンバーがラッキーナンバーであるように祈った。実際、うまくいった。

「ブルータス・カスター夫妻となってますが、どちらですか?」

ポッサムは甲高いやさしい声をしているので、電話だと女で通りそうだった。ちょっとむっとしたが、ブルータスとかいう男には聞こえないだろうと思った。

「ミセス・カスターです」彼は言った。「義父のことが心配で。夜も眠れないし、なにも食べられないの。電話に出られないようだったら、よろしく伝えてください。またかけます」

適当に言ったものの、ポッサムはだんだんこわくなった。そのとき、馬にまたがったベン・カートライトが現れて、厳しい顔でポッサムを見た。

「お待ちください」交換手が言った。

「もしもし」男の声が出た。「ジェシーか?　どうしてる?　なんでまだ来てくれないんだ?　きょう退院するんだ」

「ミスター・カスター、あの、ジェシーじゃないんですけど、ちょっと聞いてください。電話切らないで」心臓がとっくんとっくん脈打って、肋骨《ろっこつ》が折れそうだった。

「だれだ?」モーゼスが反射的に警戒した。

「それは言えないんです。でも、すみません、こんなことになって。ほんとにほんとに悪かったです。そんなつもりじゃなかったんです。無理やりやらされて」

「だれだ、おまえ」モーゼスがうろたえた声で言った。「いったい、なに言ってんだ？　おまえ、ハイウェイ・パイレーツのひとりか？」

「はい、なりたくなかったんだけど」ポッサムは打ち明けた。

「なりたくなかっただと？　わかってたんだ、ジェシーじゃないことぐらい。声がぜんぜん違ったからな」

　ポッサムは大きく息を吸った。「長くはしゃべれないんです。あんなことしてごめんなさいと言おうと思って。この償いはします、約束します、ミスター・カスター。いままわりに警察の人がいっぱいいるでしょ。あいつらあなたの居場所に気づいて、始末つけに行く気でいるんです。リーダーはスモークというやつで、ガールフレンドのユニークといっしょにゆうべセブン-イレブンの女の人撃ったんです。あなたが大きな冷蔵庫引っ張ったトラックで野菜売り場にいたとき、スモークが撃たないとぼくを殺すって言ったんです」

「いまさらなんだ。こそこそ逃げ隠れしてないで、その腐ったつらを見せたらどうだ。思い知らせてやる」

「あんなことしないほうがいいって言ったんだけど……」

「おまえが？　おまえいったい……」

　モーゼスの怒声に恐れをなして、ポッサムは電話を切ってしまった。

「そこでなにしてやがる？」突然、スモークがポッサムの部屋のドアを押し開けた。「だれとしゃべってるんだ?」

ポッサムは危機一髪で携帯電話をベッドの布団のあいだに隠した。

「ポパイと旗のことしゃべってただけだよ」ポッサムはとっさに言った。「どうだい、これ?」

スモークは朝食用のビールを飲みながら入ってくると、壁に留めた旗を長いあいだじっと見つめていた。

「なんだ、これ?」意地の悪い声で聞いた。

「旗がなかっただろ、これまで。海賊もNASCARのドライバーもみんな旗持ってるのに。だから、あんたのために作ったんだよ、スモーク。作るって言っただろ。あしたの晩、レース場でピットにつるすんだ。それから、島に逃げてからも旗あげとくといいよ、そしたら、だれもあんたに楯突《たてつ》こうなんて思わないから」

「てめえひとりでぶつくさ言ってるんなら、でかい声出すな。おかげで起こされちまった」スモークはぼやいた。「こんな時間に起きたら、きょう一日だるくてかなわねえ」

スモークはいくらか機嫌を直して、壁の旗をいろんな角度から眺めた。そして、なにか思いついたらしく、壁から引きはがした。

「あのばか犬を撃って、これでくるんでやろう。ハマーの野郎にプレゼントするんだ」スモークは残忍な顔になった。

　ポッサムに劣らずすっとぼけるのが得意なポパイは、とっくに狸寝入りを決め込んでいた。ポッサムもこんな犬なんか関係ないという顔をしている。

「けど、先に撃っちまったら、ハマーとブラジルを引っ張り出せないじゃないか」ポッサムは言った。スモークは最近はすぐ自分の言ったことも忘れてしまう。「この犬はレースまでは置いとかないとな。レース場であいつら吹っ飛ばすんだろ。そんで、キャットが盗んできたヘリコプターで島に逃げて、贅沢に暮らすんだろ」

「どうやってあいつら引っ張り出すんだ？」スモークは旗をポパイに投げつけたが、ポパイはひげ一本動かさなかった。

「簡単だよ」ポッサムは答えた。「ボニー船長にメール出して頼むよ。あの人、あちこちにコネがあるんだろ。だから、ハマーをうまく丸め込んでくれるよ。NASCARのドライバーが、美人のガールフレンドや仲間のピットクルーといっしょにいたとき、道路をふらついてたポパイを見つけたってボニー船長に言わせるんだ。手元に預かってるけど、本物のハマーとブラジルが引き取りにきたってわかるまで、だれにも渡さないって。そしたら、レース場に探しに来るよ、きっと。ポパイ見てうれし泣きしてるとこ撃ち殺して、ヘリコプターで逃げるんだ」

「すぐメール出しとけ」スモークはそう言うと、一気にビールを飲み干して缶を床に投げ捨てた。

23

検屍局長ドクター・ケイ・スカーペッタはオフィスにいた。アンディは開いたドアをノックした。

「ドクター・スカーペッタ、お世話になります」アンディはいくぶん緊張していた。「ご都合が悪くなければ、昨夜キャナル・ストリートで焼死した身元不明の被害者のことで少しお話をうかがいたいのですが」

「どうぞ」ドクター・スカーペッタは調べていた死亡証明書の山から顔をあげた。「前にお会いしたかしら？」

「いいえ。ドクター・サワマツとはごいっしょさせてもらいましたが」

アンディは自己紹介してから、そばにいるレジャイナを州警察の研修生だと紹介したが、名前は言わなかった。

「お名前は？」スカーペッタは直接レジャイナに聞いた。

レジャイナは目を丸くして口もきけなかった。これほど存在感のある女性を見たのは初めてだったので、すっかりあがってしまった。ドクター・スカーペッタは目鼻立ちのくっきりした金髪の美しい女性で、四十代のなかば、シャープなピンストライプのスーツを着こなしている。こんなにきれいで才能もある人が、どうして生活のために死体なんか相手にしなければならないのだろうとレジャイナは思った。それに、名前を聞かれても、なんと答えたらいいのだろう。またなにかへまでもしたら……。

「レジーです」レジャイナはとっさに答えた。

「レジー警察官ね」ドクター・スカーペッタは大きなデスクの向こうの審判席でうなずいた。「彼女、だいじょうぶ？」

「ぼくが責任を持ちます」アンディに念を押す。「ふつう研修生は入れないんだけれど」

「だいじょうぶです」レジャイナは熱心に言った。「ここで見たことや聞いたことはぜったいしゃべらないし、いっさいなにも手を触れません」

「いい心がけね」ドクター・スカーペッタはそう言うと、アンディに顔を向けた。「指紋から身元がわかったわ。シーザー・フェンダーという四十一歳の黒人男性で、リッチモンドの住人。今朝はモルグは満員、悲しいことだけれど。検屍解剖に立ち会ったことはある？」これはレジャイナへの質問だった。

「ないけど、それはチャンスがなかったからなんです」レジャイナはこの伝説的な検屍官になんとか自分を売り込もうとした。

「そう」

「ハイスクールの生物の時間に、カエルの解剖をいやがらなかったの、グループであたしだけだったんですよ」レジャイナは自慢した。「内臓見てもなんともなかった。だれかが死ぬのを見ても、たとえば、死刑囚とか見ても、なんともないと思います」

「わたしはハイスクールの解剖の時間はいやだったわ」ドクター・スカーペッタはそう言って、レジャイナを驚かせた。「カエルがかわいそうでたまらなかった」

「ぼくもそうでした」アンディが言った。「ぼくのときは生きたカエルだったから、殺すなんてひどいと思った。いまでもトラウマになってますよ」

「それに、死刑囚であろうとなかろうと、人が死んでいくのを見ると、わたしは平静ではいられない。あなたはそういう現場に立ち会ったり救急治療室に入ったりしたことがないからじゃないかしら」ドクター・スカーペッタはそう言いながら、アンディの名前に見覚えがあるような気がして、デスクの上の書類の山から一枚の報告書を探し出した。

案の定、毒入りチョコレートの鑑定を依頼した警察官の名前がアンディ・ブラジルだった。

「あなたに話があるの」彼女はアンディに言った。「静かな環境で」

これはレジャイナに席をはずしてほしいという婉曲な表現だった。

「廊下に出て」アンディはレジャイナに言った。「終わったら呼ぶ」

「あたしは研修生でしょ。しょっちゅう出ていかされてたら、研修にならないんじゃないの？」レジャイナは強引な本性を現した。

「しょっちゅう出ていかせるわけじゃない」アンディはそう言うと、彼女をドアのところに引っ張っていって廊下に押し出した。「そこにいるんだよ」まるで知事一家のペットのフリスキーに命じるような口調だった。

ドアを閉めて、デスクの前に戻ると、アンディは椅子を引き寄せてすわった。

「例のチョコレートの報告がちょうど研究室からあがってきたところ」検屍局長は切り出した。「内容からいって、ドクター・ポンドはわたしにまわしたほうがいいと判断したんでしょう。緩下剤による中毒にはくわしいので。数年前にそういう事件を扱ったことがあるわ。子どもたちが母親のホットチョコレートにエクスラクスを混入するという事件で、おそらくいたずらだったんでしょうけど、母親は多発性器官不全に陥り、肺水腫を併発して昏睡状態のまま死亡した」

ドクター・スカーペッタはアンディに報告書を渡しながら説明を続けた。

「高速液体クロマトグラフィーで分析した結果、問題のチョコレートは、さまざまな濃度でフェノールフタレイン、つまり、Pt陽性反応を示した。市販されているエクスラクスの規定の服用量に含まれるPtは、およそ九〇ミリグラム。ところが、あの箱に入っていたチョコレートは一個だけで二〇〇ミリグラム以上含まれていた。ということは、もし摂取されると、少なくとも体液と電解質が失われてきわめて危険な状態になる。特に年配者や健康体でない場合には」

「そうか、それで知事の容態の説明がつく」アンディは不安を募《つの》らせながら言った。「指紋はどうでした？　あの箱の包み紙からなにか検出されましたか？　それから、あのカードの筆跡は知事のものだったんでしょうか」

ドクター・スカーペッタはまた別のいくつかの書類を抜き出した。

「ルーマ・ライトと蛍光染料による潜在指紋の検出をしているわね。ＡＦＩＳ《自動指紋照合システム》に入れたらヒットしたそうよ。登録番号を書いておくから、州警察のコンピューターで調べてみて」そう言うと、数字をメモしてくれた。「文書鑑定に関しては、知事の筆跡サンプルとあのチョコレートについていたカードとは一致しなかった」

「偽造ということですね」アンディは驚かなかった。

「確定はできないわ、サンプルが正式なものではないから。予備調査に使ったのは、知事がドクター・サワマツに送ったという手紙よ」

「なるほど。無条件に信じるわけにいきませんね、その手紙の署名が知事の自筆だとは」

「少なくとも法的には」

「それで思い出したんですが、ドクター・スカーペッタ」アンディは思いきって言った。「実は、ドクター・サワマツのことで気になることがあるんです。検屍のさいに記念品を、それもきわめて不穏当な記念品を収集していると、少なくとも本人は自慢しています。彼の自宅にいらしたことはありますか？」

「いいえ」検屍局長は表情を引き締めた。

ドクター・スカーペッタがぜったいに容認できないのは、死者に対する敬意を欠いた態度だった。遺体や事件の現場からお金や遺留品、武器、麻薬やアルコールを持ち帰る人間が検屍局にいるとは言語道断だ。

「予告なしに自宅を訪ねてみたらどうでしょう」アンディは勧めた。

「ご心配なく」ドクター・スカーペッタは言った。「近いうちにはっきりさせるわ」

「ぼくもこの毒入りチョコレート事件をできるだけ早くはっきりさせます」アンディは言った。「それから、文書の鑑定ですが、容疑者の筆跡サンプルもあったほうがいいんじゃないでしょうか」

「容疑者があがっているとは知らなかったけれど、もちろんそのほうがいいでしょう。容疑者の筆跡がわかれば、大いに参考になるわ。それから、被害者と目された人間の筆跡サンプルもあるといいんだけれど」

「ハマー署長のですか？」アンディはびっくりした。「それはどうして？」

「ミュンヒハウゼン症候群（病的虚言症）の可能性を排除するために」ドクター・スカーペッタは平然と答えた。「エクスラクスによる中毒は、慢性的にそれを飲みつづけている人間がなることが多い。要するに、注意を惹きたいのよ、親や配偶者の」

「ハマー署長の狂言だというんですか？　だれかの注意を惹くための。冗談じゃありませんよ。あなたは署長を知らないから」アンディはむきになって言った。

「たしかに知らないわ。でも、あれだけの激務について間もないし、どれだけストレスが溜まっているか想像はつく。わたしの経験からすると、おそらく知事は署長がかけてきた電話には出ないし、官邸のパーティにも招待していないでしょう。それで、知事に毒殺されかかったという状況を作り出した可能性も考えられる。殺人未遂の容疑者に仕立てられたら、知事は間違いなく彼女に注意するでしょうから」

「簡単でいいんですが、トリッシュ・スラッシュ事件のことを教えてもらえませんか？」アンディは話題を変えた。「州警察の管轄ではないんですが、個人的に強い関心があります。ご存知かもしれませんが、殺人犯がどういうわけかぼくの家の前に証拠物を置いていったんです」

「あれはあなただったの？」スカーペッタは眉を曇らせた。この事件には心を痛めているようだった。「悪質で残忍きわまりない事件だった。証拠物に触れないで、すぐスリッパ刑事を呼んだのは賢明だったわね。潜在指紋を検出してＡＦＩＳに入れたけれど、いまのところ該当なし。STRシステムを使って封筒からDNAを検出したけれど、こっちもヒットしなかった。痕跡証拠に関しては、被害者の衣服についていた血に長い黒髪が数本こびりついていた」

「女性の？」

「その可能性はあるわ」

「どちらもヒットしないのはどうしてだろう」アンディは考え込んだ。「犯人が未成年者だからじゃないかな。ごく最近まで、未成年犯罪者の指紋やDNAプロフィールはデータベースに入れられなかった。おそらく犯人は未成年の常習犯で、長い黒髪の、たぶん女性で、面白半分に人を殺すようなやつでしょう。スモークのハイウェイ・パイレーツの一味で、モーゼス・カスター事件にも、昨夜のセブン-イレブンの店員殺害にも関与している可能性がある」

「この時点ではなんとも言えない」

スカーペッタはデスクから立ちあがるとドアを開いた。レジャイナが待ちかまえたように飛び込んできた。メモ帳とペンもちゃんと用意している。

「お時間をとらせて申しわけないんですが、ドクター・スカーペッタ、このキャナル・ストリートの焼死体の件で、少し教えていただけますか」アンディは本題に入った。「この事件は一連のヘイト・クライム《憎悪犯罪》と関連があると見られているのですが、気になる情報を入手したもので、ぜひご意見をうかがいたいのです。容疑者によると、被害者の死因は自然発火だというんです。弾丸の熱い鉛と火薬が被害者のシャツの合成繊維を発火させ、おそらくそれで被害者は炎に包まれたのだろう、と。ちなみに、この容疑者はさっき問題にしていた事件の有力な容疑者でもあります」

「なんであたしが毒殺されそうになった話は飛ばしちゃうの？」レジャイナが口を出した。ドアに耳をつけて二人の話を盗み聞きしていたのだ。

「いまはその話をしてるんじゃない」アンディは言った。この調子でなにもかもしゃべられたら、州警察の研修生などではなく、州知事のわがまま娘だとばれてしまう。

「ひどい話なんですよ」レジャイナはドクター・スカーペッタに訴えた。「あのクッキー食べたとたんに、立ってられないぐらいの強烈な痛みがきて。あんなに痛かったの生まれて初めて。そうそう、食べたとたんって言ったけど、そんなにすぐじゃなかったわ。庭の柘植の木の陰に隠れてからよ、さしこみがきてガスが出たのは。

次に気がついたときは、EPUに病院に担ぎ込まれてた。そこでまたさんざんな目に遭って。小さなプラスチックのコップにおしっこをとられて、看護婦がそこに小さな棒を突っ込んだの。すごい屈辱。うんちも調べたかったらしいけど、あの猛烈な下痢のあとで、もうなんにも残ってなかった。おしっこがピンク色になって死にそうになったわ。てっきり血が出たと思って。でも、看護婦の話だと、ピンクになるような薬が入ってるからだっていうけど、どっちにしても最悪よ。だれかがクッキーにエクスラクス混ぜて、あたしを殺そうとしたんだもの。あたしを殺そうとしたわけじゃないかもしれないけど、あたしはクッキー食べただけで罪はないんだから」レジャイナは夢中になってしゃべり続けた。「看護婦が言ってたけど、おしっこってふつうpH《ペーハー》は四から六なんだけど、エクスラクスのせいでpH《ペーハー》が七を超えたからピンク色になったって」

　レジャイナはpH《ペーハー》がなにか知らなかったが、ピーはおしっこのことだから、エイチはなんだかわからないけど、それがエクスラクスのせいでやられてしまったのだろうという結論に達した。けさベッドからやっとの思いで出たときも、まだふらふらして顔色も悪かったから、エイチのほうはきっとまだ回復していないのだろう。

「ほんとにラッキーだったわ。へたをしたら、けさモルグで先生に調べてもらっていたのはあたしだったかも」レジャイナは芝居っ気たっぷりに言った。

「そうね」ドクター・スカーペッタはうなずいた。「けさだろうと、いつだろうと、ここに運ばれないだけでラッキーと思わなくては。さっきの話だけれど、ブラジル警察官、エックス線写真を撮ったけれど弾丸はなかったわ」

「それなら、なにかほかのものが原因で燃え上がったわけですか？」

「もちろん、燃焼促進物《アクセレラント》やほかの化学物質のテストもするつもり」そう言うと、スカーペッタはスーツの上着を脱いでドアの裏側にかけた。「これは外部検査で多くのことが判明するケースね」白衣をはおりながら言った。「たとえば、黒く焦げた部分は背部《ポステリア》により顕著に見られる。ということは、被害者の体に入ったものは、ほぼ正中線《ミッドライン》から入ったことになる。正中線よりやや左側、正確には心臓の近く」

アンディとレジャイナはドクター・スカーペッタに続いて廊下に出た。

「つまり、なにかが胸に入らないかぎり、焼死するわけはないということだ」アンディが言った。レジャイナはせっせとメモをとっている。

「武器は見つかった？」検屍局長が聞いた。

「いえ」

「アクセレラントって、綴りは？」レジャイナは苦労していた。検屍局長はまだ専門用語をろくろく使っていないというのに。

「その容疑者から炎の色や明度のことは聞いていない？　明るい白だったとか、青とか赤とか」

「ミッドラインは一語？　それとも、二つに分けて書くの？」レジャイナはいらだった声で聞いた。

「いえ、聞いていません。その容疑者の話は全部作り話だという気がします」アンディは答えた。

「一語よ」スカーペッタはレジャイナに教えた。

「ポステリアの綴りは？」

「質問はあとで」アンディがさえぎった。また話に割り込んできて、くだらない質問をしたらただでは置かないぞという口調で。

「注目に値するのは、白っぽい灰色のごつごつした残留物が胸郭に入っていたこと。おそらく、なんらかの焼夷《しょうい》装置もしくは焼夷物質が体に入ったものと考えられる」ドクター・スカーペッタは女性用更衣室の前で立ち止まった。「あなたは男性用更衣室を使って」とアンディに指示した。「レジー警察官とわたしはこちら。なかで落ち合って、すぐに始めましょう」

「ショーイ装置って？」レジャイナは頭が混乱してしまったらしい。精神的に不安定になったり不安を抱いたりすると、彼女の場合は必ず不幸な結果になる。「どんな装置？　ショーイ装置っていったいなによ？」次第に本来の性格を現して、レジャイナはじれてきた。「こんなに早く書けるわけないし、ひどいじゃない。あたし、こんなこと慣れてないんだから。官邸で毎日聞いてる言葉とちがうんだから」

ドクター・スカーペッタが不審そうな目を向けた。「きょうはやめたほうがよさそうね、初めて解剖に立ち会うのは」検屍局長は宣告した。

アンディは携帯用無線機を取り出してマコヴィッチに連絡した。「荷物をもとの場所に戻してくれないか？」ＥＰＵの符牒を使って頼んだ。「それから、登録番号をひとつＡＦＩＳで調べてほしい」

「了解《テン・フォア》」マコヴィッチのいかにもやる気のなさそうな声が返ってきた。

「モルグの駐車場で拾《テン・トゥエンティ・ファイブ》ってくれ」

「テン・フォア。十五分で行く」

「やっぱり、やってくれましたね」数分後、寒い駐車場で迎えを待ちながら、アンディはレジャイナにぼやいた。二人はコカコーラの自動販売機のそばのプラスチックの椅子にすわっていた。

スイフティーズ・リムーバル・サービスの従業員が二人、遺体袋を載せたストレッチャーを運んできた。傾斜路になっているので、苦労しながらそろそろと運んでいる。黒っぽいスーツ姿の男女だったが、ストレッチャーの脚が出ないので、ここまでずっと運んできたらしい。

「あたし、なにもしてないわ」レジャイナが言い返した。「なによ、あたしに邪険にしたくせに」

「言動に気をつけてほしいとあれほど注意したのに」

遺体袋を運んでいた男女が、運搬用のバンのそばで途方に暮れていた。見るからに大きな遺体をのせたストレッチャーを運んでいるから、テールゲイトを開けることができないのだ。

「ほら、あそこ」レジャイナが二人を指さした。「手伝ってあげたら？　ぼやっとすわって、あたしに当たり散らしてないで」

「この椅子にすわって行儀よくしてるんですよ」アンディは釘《くぎ》をさした。少しでも目を離したら、レジャイナはなにをするかわからない。

アンディはバンに駆け寄った。

「手伝いますよ」彼は女性従業員に声をかけた。

「まあ、ご親切に。助かるわ」女性従業員はストレッチャーの一端をアンディに任せた。

「まだ直してなかったのね、サミー」パートナーの男性をなじりながら、ストレッチャーの脚を引き出そうとした。

「油を差したらすぐ直ったよ、メイベリン」

「だったら、どうして脚が出ないの？　この前は車輪がひとつ動かなかったし。両方とも放っておいたんでしょ」

サミーと呼ばれた男は返事をしなかった。アンディは片手でストレッチャーを支えながら、反対の手でバンのテールゲイトを開けようとした。

「何回言ったらわかるのよ？　なにか修理してって言っても、ちゃんとやったためしがないんだから」メイベリンはかんかんだ。「こんなことしてたら、腰を痛めちゃう。わたしがどうなってもいいんでしょ。あんたは暇さえあればテレビばっかり見て」

「テールゲイトがロックされてるみたいですよ」アンディが言った。片手で支えているのでバランスがくずれて、ストレッチャーがあぶなっかしく揺れた。「このさい脚はどうでもいいから、ロックをはずしたほうがいい。ドアが開けば遺体をすべり込ませられるから、転がさなくてすむ」

「どっちにしても転がせないわ。サミーったらまだ車輪を直してないんだから。キーはどうしたのよ?」メイベリンはまだストレッチャーの脚を引っ張っていた。

「ポケットだ。いまは出せない。片手でストレッチャーを持つなんてとても無理だ」サミーもいまにも爆発しそうだった。「いつまでも脚なんか引っ張ってないで、おまえも手伝え。ぐずぐずしてたら、遺体を落っことすぞ」

見かねてレジャイナがストレッチャーに駆け寄ったとき、ブザーが鳴って駐車場の入り口が開いた。

「キーを捜してあげる」レジャイナはそう言うと、テレビで見た警察官のようにサミーの体を上から下まで手のひらで叩きはじめた。

レジャイナには知る由もなかったが、サミーは異常なほどのくすぐったがり屋だった。ズボンの右の前ポケットに手を入れたとたん、悲鳴をあげて六インチも飛びあがった。駐車場に車を入れたマコヴィッチが見たのは、ダークスーツの白人の男が狂ったように笑いながら、あのクリムの不細工な娘に「やめてくれ!」と叫んでいる光景だった。次の瞬間、男は思わずズボンの前をつかんだ。それまで彼が支えていたストレッチャーの端が床に落ちて、大きな黒い遺体袋がコンクリートの上に音を立てて転がった。アンディがレジャイナをどなりつけているそばで、メイベリンが苦痛の叫びをあげた。ストレッチャーに手をはさまれ、顔面を直撃されて、血を流しながら顔と手を押さえている。

マコヴィッチは覆面パトカーから出ないほうが賢明だと判断した。ここは高みの見物をきめこむのがいちばんだろう。あのハンサムな白人の若造がどう出るか、じっくり見届けてやろうと彼は意地悪く考えた。ボスのお気に入りをいいことに、知事の娘のお守りまで買って出るから、こんなことになるんだ。こんなおもしろい喧嘩は久しぶりだ。いまにドクター・スカーペッタが飛び出してくるだろう。これはみものだ。即座にあいつを叩き出して、ハマー署長にねじこむにちがいない。

「あんたは大ばかだ！」アンディはレジャイナにどなった。

「大ばかはそっちよ」レジャイナも声をかぎりにどなり返す。

「なんてことしてくれたんだ」今度はサミーがレジャイナにどなった。「遺族にばれないのを祈るしかないな。葬儀社の連中に打ち身や骨折を見つけられたらどうする気だ？」

「遺体には打ち身はできない」アンディは言った。「それに、骨は折れてないと思う」

血まみれのメイベリンを見た瞬間、サミーは怒りを爆発させた。レジャイナを小突いてバンに押しつけると、その手からキーをひったくった。レジャイナは小突き返して、相手のくるぶしを蹴った。そして、腕をつかまれると、男の目を殴りつけて手を噛んだ。アンディが止めに入って、サミーを羽交《はが》い締めにしたとき、建物の奥に通ずるドアが開いて、ドクター・スカーペッタが姿を現した。手術用の白衣を着て、手袋をはめている。一目でその場の事情を見てとったようだ。

「いいかげんにして！」威風あたりを払う口調だった。「いますぐやめなさい！」

24

　太陽が中天にかかるころには、フォニーボーイもやっとダイヤル錠の開け方がわかった。七三六〇という数字に合わせるには、何回左にまわし、何回右にまわしたらいいか、やっているうちにわかってきたのだ。この数字はセブンアップを意味する航海用語だと彼は信じていた。

　予想どおり、秘密の荷物置き場にはボウマンの一パイントのウオッカが一壜、煙草が一箱、そして、うれしいことに、オライオンのフレアガンが入っていた。プラスチック製で、射程は二一マイル。一万五〇〇〇燭光の照明弾が三発あった。フォニーボーイは続けざまに三発、まっすぐ空に打ち上げた。ドクター・フォーと二人で息を殺して待った。漁船はあいかわらずどことも知れない海のただなかをゆっくりと流され、その後ろからカニ捕り籠が引きずられていく。

「全部いっぺんに撃つことはなかったんだ」ドクター・フォーは空腹と失望からがっかりした声を出した。「なんであんなことをしたんだ、フォニーボーイ。一発撃ってしばらく待ってから、二度目に同じことをして、それから最後の弾を撃てばよかったんだ。これでまた振り出しに戻った。大海原を当てもなく流され、食べ物も水もない。そのウオッカの壜を返せ。おまえが飲んでも、目がまわって脱水症状がひどくなるだけだ」

この時点ではまだ二人は知らなかったが、そのころ三人の沿岸警備隊員と機関士がひとり、鮮やかなオレンジ色のヘリコプター、ジェイホークで、通常のパトロールに出ていた。高度五〇〇フィートを飛行中に、風防ガラスの前を三基の小さな燃えるロケットが筋を引きながら通過して、乗員は度肝を抜かれた。

「なんだ、あれは？」操縦士がマイクを通して叫んだ。

「どっかから狙撃されたんじゃないか？」機関士が後ろのベンチ席からインターコムを通して言った。

「いや、遭難信号だろう。照明弾だ」副操縦士が仲間をなだめた。「まぶしい光だっただろう、燐光《りんこう》みたいな」

「ここは立ち入り禁止区域じゃないだろ？」

「ああ」

「だったら、きっと照明弾だ」

照明弾はすぐ消えてしまったが、空に白い筋が残っていたので、それが消える前にもとをたどっていけば突き止めるのは簡単だった。大型ヘリコプターは飛行方向を東に変えて、数分とたたないうちに一艘の漁船を見つけた。乗っていた二人がヘリコプターに気づいて、死に物狂いで手を振っている。漁船のうしろにはカニ捕り籠らしいものをつけたブイが見える。

「なんだ、タンジール島のやつらじゃないか」副操縦士が言った。

「ああ、あいつらなにやってんだろうな。ここはカニの禁漁区なんだぞ」機関士が言った。

「あの黄色いブイを見ろよ。あれはカニ捕り籠じゃないか」

そのときには、フォニーボーイと歯医者にもヘリコプターの回転翼の音がはっきり聞こえた。フォニーボーイはいつもは沿岸警備隊を見ると反射的に警戒した。沿岸警備隊の仕事は漁民を迫害することとしか思えないからだが、いまの彼はポケットに入れてある錆びた鉄片のおかげでいつになく楽観的だった。母さんはいつも物事にはちゃんと理由があると言ってたじゃないか。もし歯医者を逃がしてやらなかったら、途中でガス欠にならなかったら、そして沿岸警備隊に助けられなかったら、沈没船は永遠に見つけられなかっただろう。その目印におろしてきたカニ捕り籠が、ロープの長さが足りなかったおかげで、いっしょに流されてきたことは、フォニーボーイもドクター・フォーもまだ夢にも知らなかった。

「助かった」歯医者は急速に近づいてくるジェイホークを見あげた。「気づいてくれたんだ。

それに、ありがたいことに、さっきからぜんぜん流されてないみたいじゃないか。カニ捕り籠がすぐそこにある。流されていたなら、すぐそばにあるわけがないからな」

「あいつら、どういう神経なんだろうな、禁漁区で堂々とカニ捕り籠なんか引きずって」沿岸警備隊の機関士が首を振りながら言った。

ヘリコプターが低空でホバリング態勢に入ると、漁船のまわりの海面が大きく渦巻いた。二人の遭難者は目をつぶって顔を伏せ、ハリケーンのなかのカカシのように服をはためかせながら、救助用の籠がおりてくるのを待っていた。


クルス・モラレスもどこかから救いの手が差し伸べられるのを期待していたが、時間がたつにつれて、その望みを失っていった。こうなったら、自首したほうがましかもしれない。少なくとも、寒さに震えながらうろつかなくてすむし、なにか温かいものが食べられるだろう。リッチモンドのウエスト・エンドをあてもなく歩いているうちにすっかりくたびれてしまった。乗っていた車はとっくに乗り捨てた。バージニア中の警察や軍隊があの車を捜しているのだから、それは賢明な判断だった。なによりも彼は、きのうの深夜、偶然目撃したセブン-イレブンの強盗殺人事件の犯人にされるのではないかと恐れていた。

これまでクルスは暴力犯罪を犯したことはなかったが、学生のふりをしてリッチモンド大学のキャンパスをうろついているうちに、とんでもないことを考えている自分に気づいてぎくりとした。だれか自分より弱そうなやつ――女で、それも運動神経の鈍そうな、気の弱そうなやつを見つけて、金と車のキーを出せと脅せば、案外、あっさり渡すかもしれない。うまくいったら、その車で逃げて、できるだけ早くまたどこかで乗り捨てて、また別の女から金とキーを盗んで、ニューヨークまで戻れるかもしれない。それよりも、どこかのアムトラックの駅で乗り捨てて、そこから列車で帰ったほうが安全だろうか。キャンパスの中心にある湖を取り巻く林のなかの小さなレンガの建物に近づきながら、彼はそんなことを考えていた。

建物には「バプティスト教会キャンパス相談所」という札が出ていた。クルスはろくろく英語が読めないので、バプティストはバプティスタによく似ているから、きっとここにはスペイン語がわかる人がいるにちがいないと思い込んだ。手で髪をとかし、上着の袖で歯をこすって、精いっぱい身なりをととのえながら、クルスはどきどきしていた。思いきってドアを開けると、ちょうどバービー・フォッグが女子学生を送って待合室に出てきたところだった。コーヒーテーブルには雑誌が重ねてあって、バービーが近所のガレージセールで安く買ってきたシルクフラワーがどさっと飾ってあった。

「経験がないから、想像でしか言えないんだけど」バービーはにきび面の女子学生を慰めていた。「わたしは昔からドライスキンだったから、吹き出物で悩んだことはないのよ。でも、あなたの気持ちはわかるわ。わたしが通ってるドクターのところへ行ってみたら？　きっときれいに治るわ」

「だといいんだけど、ミセス・フォッグ。さっきも言ったけど、そのことしか考えられなくて、自分に自信がなくなってしまうの」

二人ともクルスには注意を払わなかったので、彼はさっとソファにすわって、読めもしない雑誌に夢中になっているふりをした。

「昔、母が言ってたけど、石鹼でよく洗うのがいいそうね。アイボリー・ソープをトラブルのある肌になすりつけるようにすると、脂がとれるんですって」バービーは若い女性の肩を叩きながら言った。「わたしは試したことがないんだけど。わたしの場合は効果がないから。それに、ピーリングという方法もあるわ」

「ピーリング？」

「わたしのドクターがケミカル・ピーリングをしてるの。聞いてみるといいわ」

「ええ、聞いてみるわ。ありがとう、ミセス・フォッグ。だれかに聞いてもらうだけで気が楽になるの」

「ほんと、いざというとき頼りになるのは、なんといったって女同士よ」バービーは実感をこめて言った。「だから、大学の男の子がデートに誘ってくれなくたって気にすることなんかないのよ。そのうちきっと王子さまが現れて、いつまでも幸せに暮らせるわ――つるつるのお肌で」

バービーはそらぞらしい言葉を口にしながら、ずっしりと重いものが心にひろがるのを感じた。この娘がつるつるの肌になることはぜったいにないだろう。いまでもあばただらけで、気味の悪い赤や紫のぶつぶつがいっぱいある。ここまで放っておいたら、レーザー治療をしても効果は期待できないだろう。それに、いつまでも幸せに暮らせるなんてほんとうに信じている人間なんか、バービーのまわりにはひとりもいない。レニーとの生活は退屈で、心のつながりなんかなにもない。バービーは早くひとりになって、大切なNASCARの恋人に手紙を書きたくてたまらなかった。

「もうちょっとの辛抱よ」バービーはつぶやいた。

「そうね、がんばってみるわ」にきび面の女子学生はそう言うと帰っていった。

ようやくバービーは薄汚いメキシコ人の少年がソファにすわっているのに気がついた。なんとなく不安になって眉をひそめた。どう見てもここの学生には見えないけれど、最近ではだらしないかっこうの学生もそれほど珍しくはない。大学生にしては幼い感じだが、自分が年をとるにつれて、ほかの人が若く見えるようになったのも事実だった。

「なにかご用かしら？」バービーは仕事をしているうちに覚えた事務的な口調で聞いた。家ではレニーが嫌がるので、こういう言い方はしないようにしている。

「シー《はい》」少年は雑誌からろくろく顔をあげないで、おどおどと答えた。

「悪いけど、英語しか話せないの。あなた、英語はしゃべれる？」

バービーはますます不安になった。英語がしゃべれないなら、リッチモンド大学に入れるわけがないではないか。それに、学生ではないなら、ここになにをしにきたのだろう？　こんなときにジャスティス牧師がいてくれたらとバービーは思った。きょうは連絡先も何時に出てこられるのかも聞いていないし、あいにく牧師の秘書も風邪で休んでいる。この小さな建物のなかにいるのはバービーだけなのだ。

「シー」クルスは答えた。「英語ちょっとしゃべれる。でも、うまくない」

「予約はしてある？」

「してない。助けてほしい、すごく」

バービーはソファの反対側の端にすわった。あまりそばに寄りたくなかったし、この粗末な身なりのメキシコ人の少年を奥の専用オフィスに案内してドアを閉めるのは賢明なことと思えなかったからだ。

「あなたのことを話して」バービーは面接を始めるときにいつも最初に言う文句を口にしながら、早くジャスティス牧師が来てくれないかと願った。

でも、ジャスティス牧師は、きょうは袋叩きにされて入院している気の毒なトラックのドライバーをお見舞いに行くことになっているし、このところ講演会や地元のテレビ局やラジオ放送局で引っ張りだこの身だ。このメキシコ人の少年と二人きりになるのが不安だという だけの理由で、あれだけ忙しい人をほんとうに彼を必要としている人たちから引き離すのはわがままだとバービーは反省した。

「お金ないんだ」クルスは言った。人から脅し取ろうなどという気持ちは失せはじめていた。「お金なくて帰れない。仕事でここに来たんだ。そしたら、あんなことになって。こわいよ」

「ここではなにもこわがることはないのよ」バービーはきっぱりと、いくらか誇らしい気持ちで言った。「ここには救いの手を差し伸べるところで、ここより安全なところはないわ」

「シー、よかった。ぼく、安全じゃないし、おなかすいてるんだ、すごく」クルスは涙をこらえた。

上唇のまわりにぼやぼやした黒いひげが生えていた。散髪もしたほうがいいし、爪も汚れている。バービーは少年の右手の甲の刺青を見つめた。かわいそうに、ずいぶんひどい暮らしをしてきたのだろう。

「どうしてここがわかったの？」バービーはそれが不思議だった。

「看板出てたから、もしかしたらグスタボかサビーナかカルラの親戚じゃないかと思って」

バービーにはなんのことだかわからなかった。

「だから入った」クルスは肩をすくめた。「家までの帰り方わかる？」

「それにはどうやってここに来たかがわからないとね」バービーはめんくらいながら言った。「それに、あなたの家がどこかも」

クルスはずばぬけて頭の回転の速いほうではなかったが、ニューヨーク・ナンバーの車を乗り捨ててきたし、警察がニューヨークから来たヒスパニックを捜しているのも知っていた。だから、ニューヨークは持ち出さないほうがいいと思った。

「きっとフロリダから来たのね」バービーは言った。「あそこにはスペイン人がたくさん住んでいるもの。二度目の結婚記念日に夫がエバグレーズに連れていってくれたの。あの人、昔から一度エアボートに乗ってみたかったのよ。マイアミビーチのホテルに二泊したわ、当時はまだ板囲いしていなくて開放的だった数少ないホテルのひとつに。わたしジャッキー・グリースンが大好きなんだもの。彼のバラエティー番組の『ハネムーナーズ』見たことある？」

クルスは顔をしかめて頭を掻いた。

「それで、考えたんだけど、バスでフロリダに帰ったら？　この相談所には無条件で使える小口の基金があって、帰省したくても旅費のない学生がいれば、利用することができるの」

クルスはがっかりした。フロリダには知り合いなんかいない。

「ニューヨークに行って、仕事探そうかなって……」クルスは言ってみた。ニューヨークから来たのがばれて、ここで次々とヘイト・クライム《憎悪犯罪》を犯している連続殺人犯だと思われないことを祈りながら。

「あそこはすごく大きな街よ」バービーは言った。「それに、仕事なんて簡単に見つかるもんじゃないわ。こうしたらどうかしら。お金をあげるから、それでバスの切符となにか食べるものを買ったら？」

バービーの心のなかには、こちらからお金のことを言い出したり、基金の話をしたりするのは賢明な判断ではないとささやく声もあった。だが、彼女は困っている人を見ると放っておけない性格だった。この男の子はつるつるの肌をしているけれど、みじめで不幸な暮らしを送ってきたのは明らかだった。だから、きっと神さまはこの子に小さな奇跡を起こすことをあたしに命じていらっしゃるのだろう。バービーは虹のことを思い出して幸せな気持ちになった。

「グラシアス《ありがとう》、グラシアス、サンキュー」クルスは心からほっとしたようだった。「神さまの恵みがあるように。あなたいい人だ。助けてもらったこと忘れません」

少年の喜ぶ顔を見て、バービーはこれでよかったのだとうれしくなった。彼女はソファから立ちあがった。

「その前にジャスティス牧師にこのことをお話ししておかなくちゃ。連絡がついたらだけど」バービーはつけ加えた。「名前は聞いたことあるでしょ。最近ではすっかり有名人。つかまえられるといいんだけど。地上から消えちゃったとしか思えないときがあるの。ここで待っててね」

「ここで待ってる」クルスは約束した。

バービーは自分のオフィスに入ってドアに鍵をかけた。牧師の秘書に電話すると、病気で休んでいるにしては元気な声で電話に出てきた。

「ジャスティス牧師がどこにいるか知らない？」そう言いながら、バービーはまた不安と疑惑が募ってくるのを感じた。虹に守られていようといまいと、心配なものは心配だった。

あのヒスパニックの少年がいい子だと信じていいのだろうか。もし悪い子だったら、どうすればいいのだろう。

「自宅に電話してみた？」秘書はいかにも迷惑そうな声で言った。

「だれも出なかった」いらいらしながら答えたところにドアを叩く音がした。

フーターに電話して相談したかったが、バービーが知るかぎりでは、料金所には電話はないはずだ。

「だれかいないの？」女性の大きな声がして、ノックの音も大きくなった。

バービーは急いでドアに向かった。

「どなた？」ドアは開けずに聞いた。「予約してあります？」

「予約してないとだめなの？ だれかに話を聞いてもらいたいの。それもだめなら、あの湖で溺れ死んだほうがまし。あたしはバプティストじゃないけど、もし自殺したら、世間の人は——特にバプティストが大嫌いな人たちは、あんたに断られて死んだと思うでしょうよ。あたしにはどうだっていいけど」ドアの向こうの女性は涙声で言った。

レジャイナ・クリムがバービー・フォッグとクルス・モラレスに出会ったのは、不思議なめぐりあわせからだった。それも、信じられないほどの絶妙のタイミングで。

マコヴィッチは落第したレジー研修生を官邸に送り届ける途中、ダウンタウンを走っているときに無線連絡を受けた。ニューヨーク・ナンバーの古いグランプリがバージニア・カントリー・クラブの駐車場で発見されたという。車は乗り捨てられてまもないようだった。バージニア・ナンバーでもない古い型のぽんこつがカントリー・クラブにとまっていれば、すぐ人目につくはずだからだ。インドア・テニスをしにきた女性が自分のボルボをとめようとしてグランプリに気づき、すぐに通報した。

「申しわけないが、仕事が入った」マコヴィッチはサイレンを鳴らし、ライトをつけながらレジャイナに言った。「調べに行かないと。どうやら、みんなが捜してるあのヒスパニックの車らしい」

「すてき。だいじょうぶよ、だれにも言わないから」EPUは知事の家族の警護中は危険を伴う活動をしてはいけないことになっているのを知っていたからだ。レジャイナは点滅するライトやサイレンの音に俄然元気を取り戻した。

「いまの時点では、あんたはまだ州警察の研修生だからな」マコヴィッチは車の間を縫《ぬ》ってブロード・ストリートを西に向かいながら言った。「だから、この前、おれが正々堂々とビリヤードであんたを負かしたときみたいに告げ口しようなんてしたって、おれはあんたが警官として同乗していたで押し通すからな」

「あら、怒ったのはお父さまよ」レジャイナは言い返した。

「よく言うよ。あんたが負けっぷりが悪くて、泣きついたからだろ」マコヴィッチは黄色いライトのなかでどなった。

ドライバーたちは車を路肩に寄せて、違反チケットを渡されるのだと覚悟していた。突然、車の流れが時速一〇マイルぐらいに落ちた。道路に引かれた白線を踏んで、上空からヘリコプターにスピードをチェックされて、パトカーが追いかけてきたのではないかと、ドライバーたちは戦々恐々としていたからだ。

「知事はおれがあんたを負かしたのを見てなかった」マコヴィッチはろくろく動かない車の列を苦労して追い越しながら、いらだった声を出した。「だから、告げ口したにきまってる。あんたのせいだよ、知事がおれを覚えてないといいなんて願うはめになったのは」

「お父さまはあんたのことなんか覚えてないわ」レジャイナは断言した。「みんな同じ顔に見えると言ってるもの。それで困るわけじゃないみたいだけど。でも、人の顔はほとんど見えないのよ。コンスタンスをフェイスと呼ぶときがあるし、その反対もしょっちゅう。特に、二人がまだお化粧しないでローブ姿のときは」

「邪魔だぞ、おまえら」マコヴィッチは前の車を追い抜きながらどなった。

数分とたたないうちに、彼はスリーチョプト・ロードに折れて、長いドライブウェイに車を入れた。その先に堂々としたカントリー・クラブがある。瀟洒《しょうしゃ》なクラブハウスの向こうにテニスコートやパドルボールのコートが何面もあって、広いゴルフ場もあった。バージニア・カントリー・クラブは高級住宅地にあり、周囲の家はどれも知事の官邸ぐらい大きな建物ばかりだ。マコヴィッチは冷や汗をかきながら、スピード防止帯の上をゆっくりと進んだ。この辺の連中には黒人はみんな同じ顔に見えるのだろう。それは視力とは関係がないのだ。

「どうも性に合わないよ、こういうとこは」マコヴィッチはつぶやいた。

「あら、お父さまは初めて知事になったときから、ここのメンバーよ。あたしはこのクラブで育ったようなもんだわ」レジャイナはきょろきょろとグランプリを捜した。マコヴィッチより先に見つけたかったのだ。

「それも家族会員でいられるうちだけだ。おやじさんが知事じゃなくなったら、個人で入るしかない」マコヴィッチは問題の車がテニスコートのそばにとまっているのを見つけた。

「あんたやおれみたいな人間は、こういうクラブには入れてもらえないんだ。あんたはまだ気がついてないみたいだが。だいたい、知事も知事だよ。ふつうは名誉会員にしてくれると言われても、たいてい辞退するもんだ」

レジャイナはびっくりした。「どうしてあたしがこのクラブに入れないの？　あたしは白人で、バージニアの旧家の出よ」

「それでも少数派にちがいないんだよ」

マコヴィッチは無線でグランプリを発見したと伝えて応援を頼むと、煙草に火をつけた。パトカーからおりて車を調べた。キーはイグニッションに差し込んだままで、エンジンをかけてみると、ガソリンタンクが空になっているのがわかった。車のなかにもトランクにも私物はなにもなかった。彼はまた無線のところに戻った。

「容疑者は車を乗り捨てた模様」彼は少し離れたところにいる州警察官に知らせた。「おれは周辺を調べるから、車を市の置き場まで引いていってくれ」

「テン・フォア」

「あたしが少数派ってどういうこと？」レジャイナがまた突っかかってきた。「あたしを侮辱する気なの？」

「そういうことか」マコヴィッチは煙の雲のなかで腹を立てた。「おれは少数派と言われたって侮辱とは思わんが、あんたは違うんだ。じゃあ、教えてやろうか、お嬢さん。おやじさんが知事じゃなくて、どこに行くにもＥＰＵにつきまとわれてないときはいつも、あんたがベイブのビリヤード場に入り浸ってるのはみんな知ってるぞ」

「いつもじゃないわ。この前の二期だけ。それより前は子どもだったもの。で、それがどうだって？」

「この前、あそこで男と知り合っただろ。あんたがなぜあの店に行くかみんな知ってる。店から出るときは、どっかのハンサムなホッケー選手といっしょなんだろ、スキンヘッドでディンゴ・ブーツをはいた。じゃなかったら、あそこのバーで拾った別の男とハーレーに相乗りして帰るか。それとも、相手は女医や女弁護士か。昼間は何食わぬ顔で働いてて、カクテルの時間になると、そういう連中の溜まり場に出てきて相手を探すような。たいしたものだよ。あんたはたしかに保護されてるよ、いつだって。それを知らないのは、あんただけどな」

レジャイナは激しいショックを受けた。これまでずっと、父の在任期間以外で世間の注目を浴びないときは、自分の好きなように生活できると思い込んでいた。ケアリータウンのショッピングセンターにある女性専用バーに出入りしていたころは、だれかに見られて噂になっているなどとは夢にも思わなかった。ホッケー選手の話はとりわけショックだった。何度となく繰り返したつらい失恋の記憶がそれでよみがえってきたからだ。あのころレジャイナはD・D・という市の交響楽団の打楽器奏者に夢中だった。だが、彼はよりによってレジャイナの誕生日に、チューバ奏者といい仲になったから、レジャイナとはもう会いたくないし電話もかけないでほしいと宣言したのだ。

「こんな生活、もういや」レジャイナは言った。マコヴィッチは近くにあるリッチモンド大学の敷地に車を入れようとしていた。大学の警備員に不審な人物を見かけなかったか聞くつもりだったのだ。

「もう我慢できない」レジャイナはマコヴィッチが見たこともないぐらい取り乱していた。「あんたは意地悪よ。だれもかれも意地悪。こんな虐待や屈辱に耐えられる人間なんていないわ」

マコヴィッチは湖のそばの小さな駐車場に車を入れて、そこでUターンしようとした。「こんな生活をつづけてたら、いまに爆発するわ。そのうちバーンと吹っ飛んじゃう。あとには床に小さな焼け焦げが残るだけ」わめきちらしながら、レジャイナは虹のバンパーステッカーをつけた白いミニバンが、小さなレンガ造りの建物の前にとまっているのに気づいた。入り口に「バプティスト教会キャンパス相談所」と書いてある。「とめて！」レジャイナは命じた。「いますぐ車をとめないと、息をつめて自殺する。あんた、説明に困るわよ。だれにも死因はわからないから、疑われるのはあんたよ」

マコヴィッチはやけくそになってブレーキを踏むと、ミニバンのそばに車をとめた。レジャイナはだれからも愛されず、ないがしろにされ続けた自分の遺体がモルグに運ばれたところを想像した。ドクター・スカーペッタはレジャイナに普通では考えられないほど長い時間をかけたあげく、ついにこれといった死因は見当たらないと認めるだろう。「お嬢さんは傷心のあまり亡くなったようです」と、あの有名な検屍官はレジャイナのVIPの両親に説明するだろう。

でも、それよりも、できることなら、あの釣りをしてた男みたいに焼け死んだほうがいい。そうすれば、アンディは彼女の不可解で悲劇的な早すぎる死を悼《いた》んで、生涯をその捜査に捧げるだろう。夜も寝ないで、失意のうちに、罪の意識にさいなまれながら、彼女の身に起こったことを探り出そうとするはずだ。朝も昼も夜も彼女のことを考え、もっとやさしくすればよかった、このモルグから叩き出さなければよかったと、いまは冷たい骸《むくろ》となった彼女が横たわるモルグで嘆くことだろう。

レジャイナは虹のバンパーステッカーをつけたミニバンのそばを通って、建物に近づいた。どうやら、ゲイのバプティストのための相談所らしい。ゲイのバプティストに生まれつくのも大変だろうけど、リッチモンド大学に相談所をつくるほどゲイのバプティストがいるというのも驚きだ。階段をのぼってロビーに入ると、ゲイでバプティストのメキシコ人とおぼしき男の子がソファにすわっていた。レジャイナは涙のあとのついた丸々とした顔を少年の詮索するような目からぎこちなく逸らすと、もう一度洟《はな》をかんだ。とたんに、また鋭い悲しみが豊満な体を貫いた。アンディは後悔して嘆き悲しむだろう。立ち直れないほど打ちのめされ、モルグに駆けつけて、かつてのパートナー、レジー警察官に別れを告げたいと頼むだろう。

「少しのあいだ彼女と二人きりにしてください」彼はドクター・スカーペッタに頼む。「ぼくのせいです。彼女をどんなに愛しているか、どれだけ彼女が必要か打ち明ける勇気がなかった。だから、こんなことになったんだ。生活のストレスとぼくの冷淡さに耐えられなくなって、炎と消えてしまったんだ」

レジャイナに千里眼の才能があったかどうかはともかく、こうして人間の自然発火に思いをめぐらせていたとき、アンディは大急ぎで本署に戻って、まさにそのテーマのコラムをトルーパー・トゥルースのサイトに貼りつけようとしていた。

人間の自然発火の真相

トルーパー・トゥルース

物理的あるいは化学的な力が加わらなくても人間が文字通り爆発するという証拠はないが、外部から火が加えられなくても生きている人間が燃え上がるのは事実である。わざわざこの二つを区別したのは、読者諸氏の多くが「燃焼《コンバスチヨン》」を爆発と混同しているからで、これは大きな誤解である。たしかに、コンバスチヨンには動揺や騒動といった意味もあるが、このコラムでは、なにか、あるいは、だれかが燃え上がるという意味で使っている。

何世紀も前から、人間が自然に燃え上がる「人間の自然発火《スポンテニアス・ヒューマン・コンバスチヨン》（SHC）」に関する記述はあるが、必ずしも説得力のあるものではなかった。たとえば、メルヴィルやディケンズといった小説家は、SHCを「因果はめぐる」という例に用いている。彼らの小説には、他人を搾取《さくしゅ》したり不正を働いたりしたあげく、ある日、自分の城や屋敷で利己的な行為にふけっている最中に炎に包まれて焼け死ぬ人物が登場する。それは「悪はいつかは滅びる」という詩的正義の表れなのだ。

おそらく読者諸氏には意外だろうが、ＳＨＣには科学的な説明ができるのである。テネシー州ノックスヴィルの「死体農場《ボディ・ファーム》」に献体された遺体や遺体の一部で実験したところ、一定の条件が満たされ、遺体が発火すれば、火葬に付した場合とほぼ同じ程度まで燃え続けることが証明されたのである。通常は遺体が骨片と灰になるまでには一時間から三時間半かかるが、これはきわめて高温の火もしくは火葬炉で焼かれた場合である。

　法人類学者のビル・バス博士から、彼の門下の大学院生が修士論文にＳＨＣをとりあげたと聞いたとき、筆者はこれはなにかのジョークだろうと思ったことを認めなければならない。

「人間が自然に燃え上がるなんて考えられませんよ」ノックスヴィルのカルフーンズでバーベキューを食べながら、筆者は思わず言ったものだ。「ぼくの聞き違いですね」

「文字通り燃え上がるわけじゃないんだ」博士はアイスティーを飲みながら言った。夕日がテネシー川の向こうで暮れなずんでいた。「かなり長い時間をかけてじわじわと燃えるんだ」

　子牛のスペアリブを食べながら、この一風変わった会話が交わされたのは、去年の春、筆者がたまたま「死体農場」に立ち寄って、ここでミイラ化の実験が行なわれていないか確かめたときだった。当時、筆者はアルゼンチンから帰国したばかりで、ミイラに並々ならぬ関心を抱いていたので、バス博士が献体された遺体に古代エジプト風の防腐保存処理を施すことに興味を示してくれないだろうかと期待したのだった。博士はこの方法に意義を見いだささず、そうした薬草や香料を扱っている薬種屋を探すだけでも大変なことで、限られた予算では到底無理だと説明した。

しかし、と、バス博士は話を続けた。やさしい謙虚な人柄ゆえ、筆者を落胆させたまま帰したくなかったのだろう。「死体農場」では人間の自然発火について珍しい研究を行なっているが、ひょっとして興味はないだろうかという。筆者は即座にあると答え、その後、数週間にわたって何度となく「死体農場」を訪れた。そこは快適な場所とは言いがたいが、なじみのない読者諸氏のために、簡単にどういう場所か説明しておこう。

テネシー大学付属腐敗研究所、通称「死体農場」は、木々に覆われた数エーカーにおよぶ敷地にあり、周囲にはレザーワイヤーのフェンスを巡らせてある。二十五年ほど前、一群の人類学者と病理学者たちが、ここで腐敗に関する研究に取り組んだが、それは言わずと知れた理由からであった。人間の体がさまざまな状況下で時間の経過とともにどのように変化していくかがわからなければ、死亡時刻を特定する際に参考となるデータは得られないのである。

「死体農場」は筆者が知るかぎり、死の研究者や科学者が重要な実験をすることのできる唯一の施設であり、そうした実験はモルグや葬儀場やメディカル・スクールでは行なえない。「死体農場」では、広く知られているように、遺体を研究のために使うことが認められており、この場合は、切断された脚に点火して、外部から燃料を加えなくても、ほぼ完全な燃焼が可能かどうか実験するわけである。

人類学者アンジー・クリステンセン博士の優れた研究を要約すると、人体の組織に綿糸の灯芯で点火すると、灯芯が溶けた脂肪を吸収することによって（これは灯芯効果と呼ばれる）、それを燃料にして四十五分間燃え続けるという。さらに、骨を燃やす実験を行なったところ、骨粗鬆症《こつそしょうしょう》の見られる骨は、密度の高い健康な骨よりずっと早く完全に燃えることがわかった。綿密なテストと計算を繰り返した結果、クリステンセンは、灯心の役割をする木綿の衣服をまとっていれば、人間の体はきわめて低い温度でも燃え上がる場合があるという結論に達した。

骨粗鬆症にかかった肥満体の年配の女性が木綿の衣服を着ている場合が、この恐ろしい現象の被害者になりやすいわけだが、ここでその気の毒な実例をひとつあげてみよう。被害者はアイヴィーという女性だが、プライバシー保護のためにラストネームはここでは割愛する。

アイヴィーは七十四歳の白人女性で、免許証ならびに最後に彼女を見た近隣の人びとの話によれば、身長四フィート一インチ、体重は二〇〇ポンド近くあった。不可解な焼死を遂げる二年前まで、マイアミでベビーシッターとして働いていた。ささやかな社会保障手当と急死した夫のウォーリーが遺《のこ》してくれたいくばくかの預金をアルバイトで補《おぎな》っていたのだろう。アイヴィーは同じ家で半年と働いたことがなかった。預かった子どもの両親といつもうまくいかなかったからだ。子どもの両親は、次々と起こる不審な出来事に不安を抱いて、それがこの変わり者のベビーシッターのせいだと証明できなくても、早々と解雇を言い渡したのである。

アイヴィーは自分が必要とされることになによりも喜びを見いだすタイプで、彼女なりの考え方からすれば、だれよりも彼女の助けを必要としているのは、病気の子どもや怯えた子どもだった。自分の目的を達成するために、ある程度の年齢に達していて、言葉で状況を伝えられる子どもは預からなかった。したがって、親は彼女になにをされたか子どもから聞くことはできず、小さなジョニーや小さなメアリーがひどい腹痛や下痢を起こしたり、瘤《こぶ》や火傷《やけど》のあとがあったり、ヒステリーの発作を起こしていたりしても、ただおろおろするだけだった。

アイヴィーに子どもを預けたことのある何人かの親は彼女を「ポイズン《ポッタウルシ》・アイヴィー」と呼んで、子どもの食べ物に下剤などを混ぜて、それがばれないように強い風味をつけていたと主張している。ある夫婦は二歳の子どもに火のついた煙草を押しつけられたと確信しているが、アイヴィーは子どもが灰皿から煙草をつかんで踏みつけ、小さな足の裏に八ヵ所も火傷したと説明した。やがて、こうした噂が広がって、アイヴィーは引退を決意した。彼女の災難が始まったのはそのときからである。

化粧漆喰《けしょうしっくい》の小さな家で一日の大半をひとりで過ごすようになると、アイヴィーはテレビの前にすわって安物のポートワインを飲みながら、煙草を吸い、スナック菓子を食べるほかにはすることがなかった。骨粗鬆症のせいで極度に背中が曲がり、関節炎も再発した。もはやどこからも電話もかかってこず、だれからも必要とされなかった。彼女は次第に自分の人生とそれにかかわった人びとを憎むようになったが、やがて人間の自然発火のケーススタディとなる道を進みつつあることにはまったく気づいていなかった。

運命の日、すなわち、一九八七年の十二月二十五日には、アイヴィーはことさら不機嫌だった。いくぶん肌寒い日だったので、長袖の木綿のワンピースを着ていた。ウオッカをたっぷり入れた強いスクリュードライバーを作って、息子がクリスマスプレゼントに送ってきたホイットマンズのチョコレートのデラックス・ボックスを開けた。息子は近くに住んでいたが、訪ねてくることはなく、電話もめったにかけてこなかった。彼女はテレビの前のビニール製のソファに腰を据えて、午前中いっぱい煙草を吸いながらカクテルを飲んでいた。その二日後に、隣家に住むキューバ人女性が、アイヴィーの郵便受けに新聞が溜まっているのを不審に思って様子を見に行ったとき、黒焦げになった遺体を発見したのもこのソファの上だった。

この遺体を検屍したのが、バージニア州検屍局長のドクター・ケイ・スカーペッタだったことに読者諸氏は興味を覚えるだろう。当時、彼女はデード郡の検屍官事務所でレジデントの法医学者として働いていて、この不可解な事件にめぐりあったのだった。消防士も警察官もこんなものを見たのは初めてだったが、それも無理からぬことだった。SHCは一六〇〇年代以降、二百件ほどしか報告されていないからである。したがって、アイヴィーが死んだ時点ではSHCに関する情報は皆無に近かったのだが、現在では、彼女の身に起こったことを推理するのはさほど難しくはない。

アイヴィーは酔いつぶれて、火のついた煙草が口から落ちて木綿のワンピースに火がついたのに気づかなかった。彼女の体が焼けるにつれて、脂肪が溶けて木綿にしみこみ、それが灯芯の役割を果たしたのだろう。おそらく、彼女は長時間にわたって低温燃焼にさらされ続け、火はアイヴィーの死後かなり経過してから消えたものと推定される。この稀《まれ》な現象を研究する機会を得たのは幸運なことだった。というのも、そのおかげで、最近、キャナル・ストリートで焼死体となって発見されたシーザー・フェンダーの不可解な死について、筆者は二つの事実を知ることができたからである。

SHCは科学で説明できない超常現象ではないし、シーザーの死も判定基準のないものではない。

第一に、胸郭の白っぽい灰色の残留物は、明らかに外部の燃料源を示唆している。さらに、シーザーは高齢でも肥満体でもなく、彼が骨粗鬆症だったとは考えにくい。さらに重要なのは、彼が木綿の衣服を身につけていなかったことで、したがって、灯芯効果は起こらなかったということだ。また、彼が死亡時に煙草を吸っていたという証拠はない。目撃者であり、現在では最大の容疑者である人物によれば、シーザーはポケットにビックのライターを入れていたということだが、そのライターもしくはその一部は現場でもモルグでも発見されなかった。

以上のことから、筆者はこの明らかな殺人事件にフレアガンが使用されたのではないかと推測しているが、どうやらドクター・スカーペッタも同じ意見のようだ。したがって、シーザーの死はポイズン・アイヴィーとはまったく異なるものである。アイヴィーは他人の注目を惹くことをなによりも望んでいた。これは代理によるミュンヒハウゼン症候群と呼ばれる症状であり、簡単に言えば、自分で自分の身を守ることや受けた被害を訴えることのできない人間を傷つけるのがその特徴である。被害者は幼い子どもや判断力の薄弱な人間である場合が多い。加害者の動機は、同情と注目を惹き、被害者を大急ぎで医者や病院に運びながら、自分がいかに必要とされているか確認することである。

「どうしたんでしょう、わたしのかわいいベビーの様子が急におかしくなって」邪悪な加害者は涙ながらに医者に訴える。「またひどい下痢から脱水症状になって、ぐったりしてしまって。どうしましょう、こんなことってあるかしら。この子を心から愛してるのに。これまでに二人赤ちゃんに死なれてるんです。また死なれたりしたら、わたしはもう生きていけない」

さらに、もうひとつの特徴は、被害者を抱き締めて泣きながら訴えることだ。「なんてかわいそうなんでしょう」虚言癖のある冷酷な加害者は泣き叫ぶ。「ほんとに、かわいそうに。どうしてあんよに火傷なんかしちゃったのかしら？　だいじょうぶ、なんとかしてあげるからね。泣かないで、お願いだから、泣かないで。八つ当たりしないでよ、わたしはなんにもしてないんだから。ほらほら、いい子だから」

赤ん坊は泣き叫び、痛さや恐怖から保護者の首にしがみついたまま病院に運ばれ、両親もしくは世話係は思い通りの注目と同情を得られるわけだ。

筆者はメイジャー・トレーダーが、海賊的性癖に加えて、この代理によるミュンヒハウゼン症候群にかかっている可能性がきわめて高いと考えている。彼が他人に毒を盛るのは、相手を支配し、自分が必要とされていることを確認するためだろう。読者諸氏のなかに、もし彼を見かけた方、居場所を知っている方があったら、ただちに警察に通報していただきたい。今日の未明、最後に目撃されたときは、彼は朝食のサンドイッチを食べながら、車をドライブウェイからバックで出そうとしていた。彼は警察の追及を逃れて、現在は危険な逃亡者と見なされている。もし見つけても、近づいてはいけない。きわめて凶暴で、自責の念のまったくない男だからだ。また、彼から食べ物、特に菓子類はぜったいにもらってはいけない。

街ではご用心を！

25

「たしかに、その可能性も考えているわ」ドクター・スカーペッタの声がハマーのオフィスのスピーカーホンから聞こえてきたのは、トルーパー・トゥルースの最新のコラムが彗星のようにサイバースペースに現れた直後だった。「でも、あの事件に関してフレアガンその他の情報をインターネットに掲載されたくはなかった」

「トルーパー・トゥルースを止められる人間はいないんです」ハマーは渋い顔をアンディに向けながら言った。「彼は匿名で書いてるから。男と決まったわけじゃないけれど」

「どうしてあのマイアミの事件とわたしが結びついたのかしら」ドクター・スカーペッタは不思議がった。

「インターネットで人間の自然発火を検索したんじゃないですか」アンディが答えた。「あの種のセンセーショナルな事件については、ネットにいろいろ出ていますから」

「その後なにか？」ハマーは部屋を歩きまわりながら聞いた。

「あの灰色の残留物は痕跡証拠研究室にまわしたわ。酸化ストロンチウム、過塩化カリウム、燐といった化学物質が検出される可能性がある」ドクター・スカーペッタはスピーカーホンを通して二人に言った。「さしあたって言えるのは、死因は体表面積の四〇パーセントにおよぶ火傷だということ。殺人事件として扱ったほうがいいでしょう。被害者が照明弾のようなものを携帯していて、なにかのはずみでそれが発火したのでないかぎり」

「トレーダーは嘘をついていたんだ。これは驚いた」電話を切ると、アンディはハマーに言った。「ニューヨーク・ナンバーのヒスパニックもその程度のものですよ」

「たしかに」

だが、マコヴィッチはそんなことは知らなかった。レジャイナが相談所でバービーと話し込んでいるあいだ車で待っていたが、そこへクルス・モラレスが煙草を吸おうと出てきて、覆面パトカーのカプリスに気づいた。クルスの心臓がぴくんとして、急に動悸が速くなった。あの女カウンセラーが警察に電話したんだ！　煙草を投げ捨てると、マコヴィッチに気づかれないうちに逃げようとした。だが、見つかってしまった。マコヴィッチはすぐにそれがフーターの料金所にいたメキシコ人だと気づいた。彼も煙草を投げ捨てて、車から飛び出した。

「止まれ！　止まらないと撃つぞ！」マコヴィッチはピストルを抜きながら叫んだ。

「ピストル自殺しようと思ったこともあるの」レジャイナはなにもかもバービー・フォッグに打ち明けた。二人とも外の駐車場で起こっていることには気づかなかった。「でも、ピストル持ってなかったから」

「持っていなくてほんとによかった」バービーはほっとした。

「自分のなにがだめなのかわからない」レジャイナは泣きながら訴えた。二人はドアに鍵をかけて、バービーのオフィスで話していた。合板のブルーのデスクにバラ色のソファ。心なごむようなパステルカラーのシルクフラワーがあちこちに飾られている。「あたし、どっかおかしいみたいなの。自分ではいいと思ってしゃべっても、たいていみんな怒り出すの。友達なんてひとりもいないし。ひとりだけいたけど……」レジャイナは腕時計を見た。「三時間前まではいたけど、いまはもういない。あんなに長いことだれかとしゃべったのは生まれて初めて。あたしの言うことちゃんと聞いてくれたの、あの人だけだった」レジャイナはみじめな声で言った。

「その三時間前まで友達だったたって人はだれ？」バービーはラベンダー色の椅子から身を乗り出した。

「アンディという人。パートナーにしてくれたんだけど、急に意地悪になって」

「パートナーって？　その人、あなたの恋人だったの？　しばらくのあいだでも」バービーはちょっと驚いた。

男性が魅力を感じない女性がいるとしたら、目の前にいるこの気の毒な女性がその典型だろう。とにかく、徹底的にイメージチェンジをはかる必要がある。このほとんど絶望的な難問に挑むとすれば、まずカラーコーディネートからだが、これがなかなか大変なのだ。レジャイナの手入れの悪い青白い肌と黒っぽい髪は、たしかにチャコールブラックとレッドというはっきりした色で強調されてはいるが、バービー流の考えでは、フェミニンな女性は強さや積極性を連想させる色は身につけないほうがいいのだ。

ましてや、レジャイナの場合、これ以上攻撃的な印象をあたえるのはなんとしても避けたい。八〇ポンドほど体重を落として、ちゃんとメークして、ヘアスタイルを変えて、定期的に脱毛すれば、やさしい印象になるかもしれないとバービーは楽観的に考えた。

「顔色が悪いけど、頭痛がするんじゃないの？」バービーは聞いた。

レジャイナは大きな音を立てて洟をかんだ。「ええ。あたしみたいな生活してたら、だれだって毎日ひどい頭痛に悩まされるわ」

やれやれとバービーは思った。この救いがたい女性には一から教えなければならない。静かに洟をかむ方法も含めて。

「そんなふうにしかめっつらばかりしてると、その部分の筋肉が発達するのよ」バービーは教えた。「ボトックスの注入から始めてみたらどうかしら。わたしが通っているドクターに紹介してあげるわ。でも、その前に恋人のこと教えて、その人となにがあったの？」

「アンディは恋人じゃないわ」レジャイナはいっそう激しく泣き出した。顔が腫《は》れ上がって赤い斑点ができている。「彼はあたしを研修生にしてくれたの。けさ二人でモルグに出かけたのに、あの人いらいらしちゃって」

「アンディはモルグで働いてるの？」バービーはぎょっとした。

　ますます話が面倒になってきた。レジャイナがモルグにいるところなんて想像できないし、こういう強い色はああいうところでは悪趣味で場違いなだけだろう。モルグに出かける人間が、鮮やかな赤や黒を身につけるなんて。

「彼は州警察官なの」レジャイナは次第にいらだってきた。「でも、モルグを仕切ってるあの女の人もやっぱりあたしを嫌いになって、解剖を見学させてくれなかった。あたしが綴《つづ》りができないというだけの理由で」

　バービーはきょとんとして黙っていた。

「ほら、あの女局長よ」レジャイナは言った。

「ええ、新聞で読んだし、テレビでも見たわ」バービーは言った。「金髪でスリムだから、はっきりした色が似合いそう。でも、あなたは別の色を試してみたら？　カラー・コーディネートに興味はない？　淡い色はどうかしら？　スカートは履《は》かないの？」

「カラー・コーディネート？　スカート？　いったいなんのこと？　ここはメアリー・ケイ美容相談所なの？」レジャイナはばかにされたような気がした。「あたしはここに悩みを相談しにきたのよ。母親みたいなこと言わないで」

「お母さんの話はまた今度ね。ひとつずつかたづけていきましょう。何度も会ってよく話をしなくちゃ。でも、きょうはアンディのことにしぼったらどうかしら。あなたは彼の態度に傷ついたんでしょう？」

「あんなタイプの人に相手にされたことないから、のぼせあがってしまって」また涙が流れ落ちた。「彼はあたしに友達がいないのは、わがままで、人の気持ちを考えないからだと言うの。それなのに、あたしを駐車場に置き去りにして、あたしが車のキー探してたとき、死体がコンクリートの上に落ちたからってどなりつけたりして」

「死体！」

これはバービーの許容限度を超えていた。目の前に浮かんだ情景はとうてい耐えられるものではなかった。このぶんでは、今夜は貴重な睡眠を邪魔されそうだ。

「チャンスをだいなしにしちゃったわ」レジャイナはすすり泣いた。「やっとそれに気がついたけど、どうしていいかわからない。彼に認めてもらいたいのに、どうしていいかわからない」

「認められるためには努力しなきゃ」バービーはやっと事情がわかりかけてきた。「これはわたしたち女性にはとても大事なことよ。いまのあなたに必要なのは、なにかできることを見つけること。ちょっとしたことでいいから、自分らしさを発揮できるようなことをね。ひとりでやれることで、みんながあなたを見直してくれるようなことだったら理想的だわ」

レジャイナはすすりあげながら洟《はな》をふいて、しばらく考えていた。

「脱毛と徹底したスキンケアを始めたらどうかしら？」バービーは提案した。「ダイエットとヨガのことはまたいずれ相談しましょう」

そうだわ。レジャイナは頭のなかで考えた。一度でいいから、あたしにもこれならできるということをみんなに認めてもらえたら！

「お父さまが盲導馬を探してるの」レジャイナは言った。かすかな希望の光が見えてきた。「その世話ならできると思う。餌をやったり、ブラシをかけたり、訓練して命令を覚えさせたりする人が必要でしょ」

「お父さんが目の見えない馬を飼ってるの？」バービーは眉をひそめたが、表情は変わらなかった。美容整形で麻痺した額の筋肉はすべすべしたままだった。

「そうじゃないの。目が見えないから小型の馬を探してるの。うちにはもうフリスキーがいるから」

「そう、いい考えね」バービーは励まそうとした。「じゃあ、それから始めてみたら？　お父さんの小さな盲導馬の世話から」

「あしたの夜のレースに連れていけば、あたしが世話をしてるとこをみんなに見せられるわね」レジャイナは少し気持ちが明るくなった。「きっとみんな感心するわ、アンディだって」

「あら、奇遇ね」バービーはびっくりした。そして、魔法の虹のことを思い出した。あの虹のおかげで、むなしかった人生に一度にいろんなつながりができた。「わたしもレースを見に行くのよ。その前にイメージチェンジしましょうよ。ハンサムなドライバーにめぐりあうチャンスかもしれない」

「ねえ、あたしたちといっしょにボックス席にすわって」レジャイナは興奮して、彼女にしては珍しくバービーに感謝の念すら抱いた。「きっとうまくいくわ。でも、スカートは履かない。スカート履いたら、みんなが見直してくれるというなら別だけど。あなたのミニバンに乗せてもらえる？　盲導馬はきっとフリスキーぐらいよ」

「いいわよ」バービーはフリスキーは猫だろうと思った。だったら、ペット用のケージに入れて、ミニバンの後ろに置けばいい。「どこで落ち合うことにしましょう？」

「あした十二時に官邸に迎えにきて」レジャイナはいそいそと言った。「イメージチェンジさせたかったらしてもいいわ」

ユニークも殺風景なアパートでイメージチェンジを考えていた。ここの家賃は有名な医者である金持ちの父が払っている。父を憎んでいても、援助は受け入れているのだ。黒いベッドカバーの上に裸ですわって、何年ものあいだに惨殺したさまざまな被害者たちのポラロイド写真を眺めていたが、いつものような興奮も快感も感じなかった。彼女にしては珍しく、ちょっぴり不安だったからだ。

ゆうべセブン－イレブンから逃げたとき、ぽんこつのグランプリに乗ったメキシコ人に気づいて、スモークに追いかけるように命じた。店に入るときには、わざわざ体の分子構造を変えるほどではないと思っていた。深夜であたりに人けはなかったし、グランプリがとまっているのには気づいたが、車の主が暗い電話ボックスにうずくまっているとは思わなかった。だから、店員の頭を吹き飛ばしたときも、店から出たとたんにメキシコ人が電話ボックスから飛び出してきて車で走り去ったときも、姿は消えていなかったわけだ。

結局スモークはグランプリを見失ってしまったから、いまではユニークの存在を警察に教えられる人間がこの世にいることになる。ユニークは血まみれのT．T．の写真を眺めながら、あの女に馬乗りになってボックスカッターで喉を切り裂いたときのことを思い出した。あの女の生暖かい肉と血がユニークの「目的」に呑み込まれ、彼女のなかの飽くことを知らない「闇」の一部になった。ユニークの被害者はみんな例外なくそうなる。彼女のなかのナチの男が何年も前に言ったように、こうして次々と被害者を取り込んでいくことが「目的」であり、ナチの男が永遠に生き続けるためには、そうするしかないのだ。そして、彼が死ぬときはユニークも道連れになる。

ユニークは不安そうに部屋を見まわした。安っぽい黒い家具、黒い蠟燭《ろうそく》と香、インターネットで買ったナチ関連の小物類。このコレクションを始めたのは、「目的」にしたがって、存在する価値のない人間をこの世から抹殺しようと誓ったときからだ。ふと、まだどこのだれとも知らないあの金髪の警官のことを考えた。もうじき「目的」がわたしたちを結びつけるだろう。あの警官には初めてミニマートで会ったときに姿を見られている。そのあと自宅まで尾行したときは姿を消していたけれど、もしあのメキシコ人があの警官にセブン‐イレブンで見た女のことを話したら……。

ユニークはベッドからおりて、全身が映る鏡の前に立った。裸身がこきざみに震えていた。真っ黒な長い髪をさっと振りあげて、ボックスカッターでばっさり切った。黒い髪が素足のまわりに落ちると、ナチの男の声が聞こえた。髪を白っぽい金髪に染めること、あすの夜は予定を変えてスモークといっしょにレース場に行くこと。男はその二つを命じた。最初の予定では、ユニークは仲間がピットにいるあいだに、あの金髪の警官との「目的」を果たすつもりだった。でも、計画が狂ってしまった。あの警官はユニークの存在にまだ気づいていないだろうか。あのメキシコ人が警察に知らせるまでに口を封じてしまえばよかったのに、いまとなってはもう手遅れだ。

「教えてください」ユニークは心のなかの「闇」に小声でささやいた。「どうしたらいいんでしょう」

「いまにきっとわかる」ユニークはさっきとは違う不気味な低い声で答えた。

「ええ」彼女は鏡のなかの自分にほほ笑みかけた。抑えきれないほどの欲望がこみあげてきた。「もうちょっとの辛抱よ」彼女は金髪の警官に呼びかけた。「もうすぐユニークな経験をさせてあげるわ」

26

「むかむかする」フォニーボーイはヘッドセット越しにパイロットに言った。彼もドクター・フォーも、ジェイホークの後部座席で寒さに震えながら、ヘリコプター酔いに苦しんでいた。「前にもなったことあるよ、ちゃりんこですっ飛ばしてたら、でんぐりがえって、自分のげろのなかに落っこちた」

沿岸警備隊員たちは、三輪車で宙返りして、自分の嘔吐物の上に落ちたというフォニーボーイの痛ましい子ども時代の冒険談を無視して、ＮＣＩＣ《全国犯罪情報センター》に無線で問い合わせた。その結果、救助した歯科医は医療保険詐欺、マネーローンダリング《不正資金浄化》および不正医療行為で指名手配されていることが判明した。このおかしな言葉遣いをするタンジール島の少年は、海事法に違反したのは明らかだったが、彼も誘拐罪で指名手配されていることがわかった。

これはアンディがジャーナリストという触れ込みでタンジール島を訪れたあと、ドクター・フォーとフォニーボーイの令状を取っておいたからだった。診療所でフォニーボーイのカルテを調べて不正な治療を見抜き、そのあとフォニーボーイが歯医者はいま手が放せないといったとき、歯医者がどうなっているか察したのだ。救助した二人の遭難者が州警察から指名手配されていると知って、沿岸警備隊のパイロットは無線を緊急周波数に切り替えて、付近にいる州警察の航空機と連絡をとろうとした。たまたまマコヴィッチが、一時間ほど前にレジャイナを官邸に送り届けてから、キャットに操縦訓練をしているところへ無線が入ってきた。

「こちらヘリコプター430・シエラ・パパ」マコヴィッチは緊張した声で答えた。キャットが双発のヘリコプターの機体をがたんと揺らせてホバリングさせたからだ。「ペダルから足を離せなんて言わなかったぞ、左ペダルを踏めと言ったんだ」ヘッドセット越しに注意しながら、マコヴィッチはうっかり送信ボタンを押してしまった。それで、彼の指示は沿岸警備隊員も含めて、周囲数百マイルにいる航空機のパイロットに聞こえてしまった。「左ペダルを放したら、右ペダルを踏んだのと同じことになるんだ。何回言ったらわかるんだ？　ほら、機首が右向いちまったじゃないか。右ペダルを踏んだことになるからだよ、左ペダル放したら。回転効果のこと、教えただろ」

キャットは冷や汗をかいていた。回転効果なんかどうでもいいから、早くヘリコプターを操縦できるようになりたかった。操縦免許なんか取らなくてもいいし、連邦航空局の規則を守るつもりもない。仲間とタンジール島に高飛びしたら、このヘリコプターはカナダのハイウェイ・パイレーツに売り飛ばしてしまおう。六百万ドルにはなるだろう。そんなことを考えながらうわの空で操縦桿《かん》を引っ張ったから、ヘリコプターは振り子のように揺れながら滑走路の上をよたよた飛んだ。

「ヘリコプター・シエラ・パパ」また無線が入った。「そちらは124・5になってる」緊急周波数ということだ。「125・0に切り替えてくれ」

マコヴィッチは周波数を切り替えるためにコントロールパネルに手を伸ばしながら、キャットをどなりつけようとして、またうっかり送信ボタンを押した。「着陸させろ。ゆっくり、ゆっくりだ。地面に突っ込むんじゃない。そっとおろせ。なにしやがる! コレクティブ・ピッチレバーを引くのは最後の最後だ」

ヘリコプターはまたすっと上昇してから、今度はどすんと着陸した。車輪が滑走路を叩き、テールブームが左右に揺れて、パワーカートにぶつかりそうになった。マコヴィッチはキャットに両手両足を放してなにもするなとどなった。

「これはおれのヘリだぞ」マコヴィッチはヘリコプターを安定させようとした。「その汚い手を放せ。もうたくさんだ。二度と教えてやるもんか。おまえなんかに教えても無駄だ」

キャットはサイクリック・ピッチレバーを引いて、右ペダルを踏み込んだ。ヘリコプターは滑走路をタキシングしながら大きく右に旋回して、回転翼をフル回転させながら、格納庫に突進した。せっぱつまったマコヴィッチは、このNASCARの訓練生の頭に一発お見舞いして気絶させた。そして、左右のペダルを踏み込んで、滑走路にとまっていたセスナ機に追突する寸前になんとかヘリコプターを止めることができた。スロットルレバーをアイドリングに戻すと、彼は煙草くさい安堵のため息を吐き出した。

「なにすんだよ」意識を取り戻したキャットがうめいた。「ひどいじゃないか、いきなり殴りつけて」

「ちゃんと行き先を決めて操縦しろ。もういい、おれがやる。おまえは引っ込んでろ」マコヴィッチはどなりつけた。このところ不運続きでうんざりしていた。もうちょっとでヘリコプターをぶつけるところだったし、二日酔いで頭は痛いし、フーターには振られるし。あの女はフレックルズで人をこけにしただけでは足りなかったのか、思わせぶりにアパートまでついてきたくせに、ベッドに誘っても応じようとしなかった。

「困るんだよ、あしたはレースだっていうのに」キャットは頭をこすりながらぼやいた。

「それで思い出した。知事も行くそうだ」マコヴィッチはあちこちのスイッチを切りながら言った。「だから、おまえらを乗せていくのは、その前かあとになる。まさか知事に車で行けとは言えないからな」

「そりゃないぜ」キャットは言い返した。「あんなにたくさんヘリコプターがあるじゃないか」

彼は格納庫に並んだ光り輝く一群のヘリコプターを見つめた。

「おれたちはどれだってかまわない、これとおんなじぐらいでかいやつなら」

ＮＡＳＣＡＲのピットクルーとなると、体裁も気になるのだろう。だが、どうしたものかとマコヴィッチは思った。アンディに知事一家を少し小型だが同じぐらい豪華な４０７ヘリで送らせるとするか。そうすれば、あのＮＡＳＣＡＲのドライバーとピットクルーをレース場に送り届けて、たんまり謝礼が手に入る。金が入ったら、自分のアパートを借りられるし、それなら連れてきた女もベッドに入るのをためらわないだろう。知事には４３０は整備中だと言っておけばいい。もしも知事が気がついたらの話だが。

「ヘリコプター・シエラ・パパ」沿岸警備隊のパイロットが、リッチモンドに向かって一七〇ノットで飛行しながら言った。「連れがいるのか?」

「こちらシエラ・パパ」息せき切った声が返ってきた。沿岸警備隊員は意味ありげに顔を見合わせてうなずき合った。これでは州警察のパイロットが次々に辞めていくのも無理はない。

航空界には知事一家をめぐっていろいろな噂が飛び交っていたが、いちばんもっともらしいのが、知事のパイロットのなり手がないのは、知事夫人が州警察のパイロットを見境《みさかい》なしに口説いて不器量な娘のだれかを押しつけようとするからだという噂だった。しかし、それも単なる噂かもしれない。あの女署長になってから州警察がたるんでいるのかもしれない。

だが、逃亡者二名を救助した沿岸警備隊員は、その女署長に連絡をとらなければならなかった。

「こちら沿岸警備隊HH-六〇」パイロットは言った。「容疑者を二名乗せている。州警察に連絡をとりたい。他聞をはばかる事態だ。署長の周波数はわかるか？」

「まるで映画みたい！」ウィンディ・ブリーズがそう言いながらハマーの部屋に駆け込んできた。そして、たったいま沿岸警備隊のヘリコプターが、誘拐された歯医者とハーモニカを吹く誘拐者を逮捕したと興奮した声で告げた。「二人ともいまはヘリコプターに乗っているけど、大きな籠でつりあげたんですって。嵐が吹きすさび、大波が逆巻くなかを、『パーフェクト・ハ、、、リケーン』みたいに。あの映画のジョージ・クルーニー見たことあります？彼、もうちょっと年が上だといいのに」

「わかったから、早く沿岸警備隊につないで」ハマーは言った。「すぐ通じるといいけれど」ハマーは回転椅子をデスクの後ろのテーブルに載せた無線機に向け、アンディは周波数を125・0に合わせた。これは小さな空港が使っている一般の周波数だが、いつもあまり混んでいなかった。

「125・0で待機していると伝えてくれ」アンディは秘書に言った。

まもなく沿岸警備隊のパイロットの声が聞こえてきた。

「こちら州警察」アンディはマイクロホンに向かって言った。「クルー・オンリーになってるか？」

「了解《ロジャー》」答えが返ってきた。

「ロジャー」アンディも言った。「状況を説明してくれ」

「ロジャー。漂流中の容疑者二名を発見して収容した。禁漁区で釣りをしていて、ガス欠になったらしい。われわれにフレアガンを発砲してきた。捜索救助後の態度も服従的ではない。消火器も救命胴衣も携帯していなかった」

「引き渡しを要請します」ハマーが無線に出た。「現在地は？」

「リッチモンド空港から東に一一・三マイル」

ハマーが容疑者を尋問のために州警察本部まで移送するよう頼んでいたとき、ドクター・フォーはヘッドセット越しにパイロットに、自分とフォニーボーイをリードヴィルでおろしてほしいと頼んでいた。無線がクルー・オンリーのモードに切り替えられていて、コックピットに自分の声が届かないことは知らなかった。

「現時点でタンジール島に戻る必要はない」ドクター・フォーはマイクロホンに向かって言った。ヘリコプターはパイロットたちが「シビアークリアー」と呼ぶ澄み切った空を爆音を立てて飛んでいく。「それから、誤解のないように言っておくが、フォニーボーイはわたしに湾を案内しながらハーモニカを吹いてくれただけで、たまたま運悪くエンジントラブルが起こった。カニ捕り籠に関しては、どこから流れてきたのか見当もつかない」

「ほんとか？」後部席に二人といっしょにすわっていた機関士が聞いた。歯医者の言うことは聞こえるが、コックピットでのやりとりは彼にも聞こえなかった。

「ちがうよ！」フォニーボーイはついうっかりいつもの癖で反対のことを言ってしまった。ヘリコプターは西の州警察本部に向かっていた。

「ちがうって？」機関士は皮肉な口調で言った。「どうせ、そんなことだろうと思ってたよ。密漁してたんだろ？」

「家内に電話してもらえば迎えにくる」ドクター・フォーは不安そうに話しつづけた。「いろいろと迷惑をかけて申しわけないが、おかげで命拾いした。もし無料で歯の治療が受けたくなったら、遠慮なく電話してくれ。名刺を渡しておこう」

名刺を出したとたんに、ヘリコプターの開いた窓から入ってきた突風に飛ばされた。名刺は午後の青空をしばらく泳いでから、尾部回転翼にはさまれてずたずたになった。

「やれやれ。あれが最後の名刺だったのに。それに、ここはリードヴィルじゃないようだぞ」ジェイホークがリッチモンドらしい街のヘリポートに向かっているのに気づいて、ドクター・フォーはぎょっとした顔になった。

「さて、どこから説明してもらおうか」フォニーボーイと歯科医が手錠をかけられて尋問室に連れてこられると、アンディはさっそく切り出した。

「なにもかも誤解だ」ドクター・フォーは言った。誘拐も含めて面倒を引き起こしそうなことは、いっさい否認するつもりだった。「今回は島の滞在を少し延ばしたんだ。フォニーボーイに漁船で送ってもらったのだが、途中で燃料が切れた」

フォニーボーイの関心は、ともすればポケットのなかの鉄片に移りがちだった。なにがあっても、必ずあのカニ捕り籠のところへ戻ろうと彼は決心した。ロープをたぐって沈没船を見つけたら、夢にまで見た海賊の宝が手に入るのだ。なぜブイが船尾からほんの二フィートのところにあったのかはわからなかった。漁船は潮に流されていたはずなのに。でも、あのときは方向感覚を失っていて、実際にはそれほど流されていなかったのかもしれない。沈没船の場所がわからなくなったり、タンジール島に連れ戻されたり、へたをすると監獄行きになるなどということは考えたくなかった。

「では、島ではだれかほかの人が人質にとられたということ？」ハマーが尋問するそばでウインディがメモをとっていた。

「人質の話なんか聞いたこともない」ドクター・フォーは言った。「それに、わたしに手錠をかけて勾留するなんてけしからんじゃないか。まるで犯罪者みたいに。わたしは人を助ける歯科医だ」

「たいした人助けがあったもんだな」アンディはタフな警官をきどって、凄《すご》みをきかせた。

「いかがわしい不必要な治療をしたり、ありもしない虫歯をつくったり、安物の詰め物や歯冠を高い金属や金冠と偽ったりするのが人助けとはな。子どもの患者には『生活指導』と称して水増し請求したあげく、乳歯よりたくさんのスチール歯冠をかぶせた。去年だけでも三十二人の患者から百九十二本もの歯を抜いているし、少なくとも百件で麻酔医を連れてきたことにしているが、実際には自分で鎮静剤を投与しただけだ。まだいくらでもあるぞ」

アンディは厳しい顔でにらみつけた。ドクター・フォーは気分が悪くなってきた。「覚悟してるだろうが、この件では州政府の司法長官事務所のバージニア州医療詐欺取締班、FBI、国税局と協力して合同調査を進めている。おまえには二日前に令状が出てるが、郡保安官はおまえをつかまえられなかった。なぜだかわかるか?」

「知らん」ドクター・フォーの声が裏返った。フォニーボーイが口に合っていない歯列矯正器を舌で舐《な》めたとたんに、輪ゴムが飛び出して会議机の上に落ちたからだ。

「住所が私書箱になっていて、自宅も診療所も留守番電話になっていたからだ」アンディはきつい口調で言った。「それに、おまえは知人にも家族にも写真を撮らせないから、保安官には顔がわからない。いずれにしても、タンジール島で人質になった人間をわざわざ連れ戻しにいく物好きな保安官もいないだろうがね。あの島の人間は警察には協力的じゃない。逮捕しに来たとわかったら、どんな目に遭うかわからない」

「それはあんたの憶測にすぎない」ドクター・フォーが本性を現した。「それが事実だというなら、ちゃんと証明してもらおう。私書箱を使っている人間は世間にはいくらでもいるし、写真嫌いも珍しくはない。わたしは人質なんかにはならなかったし、ほかのだれもならなかった」

「ドクター・フォー、あなたの協力が必要です」ハマーが物わかりのいい警察官を演じながら言った。「内戦などという物騒な事態におちいるのは極力避けなければ。タンジール島民はあなたやわたしと同様バージニア州民です。島民と戦うのは自分の脚を撃つようなものだわ。内戦は島民にとって自殺行為以外のなにものでもない。沿岸警備隊員の説明によると、あなたがフレアガンを撃ったのは遭難信号ではなく、ヘリコプターを攻撃するはっきりした意思表示だったそうね」

「なんだって?」ドクター・フォーは叫んだ。

「違うというの?」ハマーは物わかりのいい警察官を演じるのをやめた。「島民が州政府に宣戦布告して州旗をおろしたうえ、誘拐事件まで起こしている状況下で、島民のひとりが法執行機関のヘリコプターに発砲したら、そう解釈されて当然よ。あのVASCARのおかげで島民はヘリコプターには神経質になっているし」

「フレアガンを撃ったのはフォニーボーイだ。それに、わたしは島民じゃない」ドクター・フォーはフォニーボーイを指さした。「わたしは止めたんだ。禁漁区でカニ捕り籠をおろしたのもこいつだ、海賊船を探すんだといって」

「海賊船？」アンディは驚いた。

フォニーボーイはようやく現実に戻って、ドクター・フォーをにらみつけた。

「なんでばらすんだよ？　ピカルーン船のことべらべらしゃべるなよ」フォニーボーイは抗議した。「だいたい、あんたってやつは信用できない」

「わたしは信用に値する人間だ」歯医者はぷりぷりして言い返した。「どうせ海賊船なんか見つからんさ。錆びた金属のかけらが見つかったぐらいで大騒ぎするな」

「なにを見つけたんだ？　磁石か？」アンディがフォニーボーイに聞いた。「そろそろ二人ともほんとのことをしゃべってもらおうか。その金属のかけらとやらを見せてくれ」

「いいよ」フォニーボーイは言葉とは裏腹に、手錠をかけられた両手をポケットに当てた。

「言うことを聞いて。身体検査なんかしたくないから」ハマーもそばから言った。

「これはおれのだ！」フォニーボーイは抵抗した。「天から落っこってきて脚に当たったんだ、ハーモニカ吹いてるとき」

「頼むよ、ちょっとだけ見せてくれない？」アンディは物わかりのいい警察官に早変わりして椅子から立ちあがった。「約束するよ、取り上げたりしない。犯罪や事故調査に関係がないかぎり、見たらすぐ返す」

「だまされるもんか」フォニーボーイはそう言うと、ウィンドブレーカーの右前をつかんだ。ポケットの壊れたジッパーのそばになにか硬いものが入っていた。

興味をそそられたアンディは、ウィンドブレーカーの穴から指を入れて、裏地のなかから診療所の鍵を取り出した。

「やっぱりおまえか」歯医者がうっかり口をすべらせた。「おまえが盗んだんだな。わたしを診療所に監禁して鼻を殴ったときに」

「だれも誘拐されなかったと聞いたけれど」ハマーが言った。

「わたしは無実の被害者だ」ドクター・フォーは叫んだ。「ただちに釈放を要求する。告訴することも考えている。あの凶暴で信用できない島民どもが、わたしの意に反して島に引き止めたんだ。水増し請求うんぬんも、あいつらにはめられたんだ」

「島で何人もの歯を見たが」アンディは言った。「ここでフォニーボーイの歯を見ればじゅうぶんだろうな。どれぐらい詰め物や根管治療や歯冠や抜歯をされた？　フォニーボーイ」

フォニーボーイは覚えていなかったし、だいたい、そんなにたくさんの数は数えられなかった。彼はジーンズのポケットをつかんで金属の塊の感触を確かめた。大変なことになった。歯医者がなにもかもばらしてしまった。こうなったら、素直に言うことを聞いたほうがよさそうだ。どうせ、この金属の塊にはたいした値打ちはない。それよりも一刻も早くここから出て、カニ捕り籠の下の沈没船の宝を見つけたほうがいい。

アンディはごつごつした錆びた鉄片をうやうやしく受け取ると、値打ちのあるアンティークでも見るようにしげしげと眺めた。

●主な登場人物〈女性署長ハマー〉

ジュディ・ハマー　バージニア州警察署長
アンディ・ブラジル　バージニア州警察官
ベッドフォード・クリム　バージニア州知事
モード・クリム　知事夫人
レジャイナ・クリム　知事の末娘
ポニー　知事官邸の執事
メイジャー・トレーダー　州政府の報道担当官
ソルロ・マコヴィッチ　州警察官、知事専用機のパイロット
ウィンディ・ブリーズ　ハマー署長の秘書
モーゼス・カスター　トラックの運転手

●主な登場人物〈つづき〉

ドクター・シャーマン・フォー タンジール島の巡回歯科医

フォニーボーイ タンジール島の少年

スモーク 札付きの不良

ユニーク スモークのガールフレンド

ポッサム スモークの手下

ドクター・ケイ・スカーペッタ バージニア州検屍局長

バービー・フォッグ 教会のカウンセラー

フーター・シュック 高速道路の料金徴収員

クルス・モラレス ニューヨークに住むメキシコ人の少年

「放射性炭素年代測定法にかけたほうがいいですね」彼はハマーに言った。「ひょっとしたら、これはとても貴重なものかもしれない」

27

もう午後になったのに、まだすることがいっぱいあってアンディは少々あせっていた。次の予定はモーゼス・カスターを病院に迎えに行って、無事に家まで送り届けることだ。そのあと、防水スーツケースをキャナル・ストリートに届けることになっていた。そこへボニー船長、またの名をメイジャー・トレーダーが、それを取りに来る手はずがEメールを通してつけてあった。

なにが待ち受けているか、それは見てのお楽しみ。アンディは古いアルミニウム製のスーツケースに、簡易ジム代わりにしている狭い地下室から運んできたトレーニング用のウエイトを詰め込んだ。トレーダーもついに年貢の納め時だ。殺人、殺人未遂、殺人共謀、公務執行妨害、それ以外にもどんな罪を犯してきたのかわからないが、これからじっくり時間をかけて償ってもらおう。

スーツケースと変装道具と釣り具を車のトランクに入れると、アンディは病院へ急いだ。モーゼス・カスターは知事の指示で広い個室に移されていた。「遅くなって申しわけない」アンディは病室に入るなり謝った。

「待ってたのよ」大柄な看護婦が言った。「いますぐ退院できるわ。急いでね。この部屋はすぐ使うから」胸の名札によれば、カーレスとかいう看護婦だ。

「きみの名前、ケアレスと発音するのかな？　それともカーレス？」アンディは看護婦に聞いた。プロレスラー並の体格と、いっぺんに左右が見えそうな目の持ち主だ。

「みんな、適当に呼んでる」看護婦はそう言いながら、カスターをベッドから助け起こして車椅子に乗せようとした。

「車椅子なんかいらん」カスターがそわそわしながら言った。「痛い！　肘をおれの口にぶつけたぞ。ちょっと待ってくれ。病院服の後ろが開いたままだ。なんとかしてくれ、刑事さん。この女をわしに近づけないでくれ。こいつのおかげで、ここに入ったときより傷だらけだ」

実際、モーゼス・カスターは哀れな姿だった。顔は痣《あざ》だらけで、片目が腫れ上がり、歯も欠けている。どこまでがトラックで襲われたときの傷なのだろう。片腕はギプスで固定されているが、カーレス看護婦は彼を毛布の下から引っ張り出そうとして、その腕を枕元のテーブルにぶつけた。車椅子のブレーキをかけ忘れているのに気づいてアンディが注意しようとしたとき、カスターをどんと車椅子に乗せたものだから、車椅子はするすると動いて整理ダンスにぶつかった。カスターが悲鳴をあげる。車椅子はぶつかったはずみで逆戻りしてベッドに当たり、包帯を巻いたカスターの右足が床の尿瓶《しびん》の取っ手に引っかかって尿瓶が宙に舞った。車椅子はその場でぐるぐるまわって、ついに病人を投げ出した。

「さわるな!」カスターが叫んだが、看護婦はおかまいなしに彼の病院服をつかんで引っ張り上げた。患者の臀部《でんぶ》があらわになった。

「こりゃひどい」アンディはそっとカスターの肘をとって病院服を着せ直すと、看護婦がこれ以上患者に危害を加えるのを阻止した。「服はどこ? 早く着替えたほうがいい」

「息子が持ってきてくれたはずだ。タンスに入ってる」モーゼスは言った。「おまえは引っ込んでろ」と看護婦に叫んだ。「刑事さんにやってもらう」

それでも看護婦は手を出そうとしたが、アンディは彼女をなだめながらモーゼスを着替えさせて、無事に車椅子に乗せた。

「あとはやるから」アンディは看護婦に言い渡した。

「車椅子を押すのはわたしの仕事よ」看護婦が抗議した。「病院の決まりなんだから」

「法執行官が保護下にある人間を安全に移動させるのは州警察の決まりだ」アンディはやり返した。「きみは介入しないほうがいい、粗忽《ケアレス》な看護婦」

「カーレスよ!」看護婦は太い腰に手を当ててにらみつけた。

アンディは手際よくモーゼスを廊下に連れ出した。大柄な看護婦が足音も荒々しくついてくる。

「婦長に報告しておくから！」カーレス看護婦は捨てぜりふを残して廊下を引き返していったが、その途中で医者を突きとばし、同僚の看護婦を隅に置いてあった点滴台にぶつけそうになった。点滴台はがらがらと動き出して、蘭の鉢植えにぶつかってやっと止まった。

メイジャー・トレーダーはよほどのことがないかぎり、バスに乗ったことはなかった。だが、トルーパー・トゥルースの最新コラムを読んでから、トレイルウエーズのバス乗り場でキーウエストまでの片道切符を買うことを考えていた。向こうには親戚がいる。海賊を先祖に持つ連中だから、まさか警察に売るようなまねはしないだろう。大々的な捜査が行なわれているというから、悪事の数々が露見するのも時間の問題だろう。

クリム知事はもはや当てにならない。トレーダーが知事を毒殺しようとしていたと知ったら、二度と寄せつけないだろう。必要な情報は伝えずに嘘を吹き込み、場合によっては手紙を偽造し、職務を果たさず、同僚の州の職員を陥れ、マスコミへの発表は自己の利益のために歪め、インターネットで変名を使ってハイウェイ・パイレーツと非合法な取引をしたことが判明したら、ただではすまないだろう。しかも、海賊の末裔《まつえい》で、子どものころから放火癖があり、キャナル・ストリートで釣りをしていた男を殺したとわかったら。数えきれないほどの旧悪がばれたら……。

トレーダーは偽名で買ったバスの切符をポケットに入れると、タクシーでキャナル・ストリートに向かった。ちょうどそのころ、アンディはモーゼス・カスターに自宅まで送る途中で寄り道してもいいかと聞いていた。

「あの看護婦のおかげで手間取ったから、時間が足りなくなったんだ」アンディは説明した。「二時半に容疑者と会うことになってるんだが、あと十五分しかない」

「かまわんよ」モーゼスは答えた。「ずっと閉じ込められてたから、新鮮な空気と刺激がなによりだ。わしにできることがあったら手伝うよ」

「襲われたときのことはなにも覚えてないのか？」アンディは聞いてみた。

「ああ。天使が現れて、車がいかれたと言ってな。なんかユニークなことができるって約束してくれたが」

「ユニーク？」アンディはとまどった。

「そう言ったんだ」

「釣りはできるか？」

「できなくてどうする」

アンディは約束の場所から少し離れた道路で車をとめた。アンディがポッサムのハンドルネームを使って（いまだにポッサムの正体は知らなかったが）、ボニー船長と名乗る人物とメールでやりとりしたとき指定した受け渡し場所は、トレーダーがシーザー・フェンダーを殺害した場所だった。トレーダーを犯行現場におびき出し、鉄のウエイトの詰まったスーツケースを持たせて、そのまま留置場に直行するつもりだった。トランクからスーツケースを出すと、彼はタンジール島に秘密調査に行ったときの変装道具――つけひげ、ポニーテールのかつら、野暮ったい衣服を取り出した。それを身につけてから、モーゼスに釣り竿を渡した。

「あんたは釣りをしていてくれ」川沿いの土留め壁のほうに歩きながら、アンディはモーゼスに言った。「ぼくがなにをしても知らん顔をしてるんだよ。もうすぐ男がひとりやってきて、このスーツケースを持っていこうとする。自分のものだとかなんとか言って。だが、重くて持ち上げられない。そこへぼくが手を貸しに行って、男に手錠をかけるという寸法だ」

「おもしろそうだな」

「男を留置場に送ったら、あんたを家まで送るよ」

「わかった」モーゼスは足を引きずりながら川に近づいた。「そりゃいい」

犯行現場を示す黄色いテープの残骸が冷たい風にあおられていた。モーゼスは不安そうにあたりを見まわした。コンクリートに焦げ痕《こあと》があって、ひっくり返ったプラスチックのバケツがころがっている。

「市警の連中はなにをやってるんだ」アンディは眉をひそめてバケツを拾った。「現場検証が聞いてあきれるよ。こんなものを放り出していくなんて」

バケツを土留め壁にのせて、重いスーツケースを少し離れた場所においた。モーゼスは釣り糸にプラスチックの擬餌針《ぎじばり》と浮きをつけた。

「釣りをしてた男が焼け死んだのはここか？」モーゼスが不安そうに聞いた。

「ああ」アンディも釣りの用意をした。

「その犯人がのこのこ出てきたりしないだろうな。当分そういう目に遭うのはごめんだ」

「心配するな」アンディは請け合った。「あんたは釣りをしていてくれればいい。これからやってくるやつは危害を加えたりはしない。このスーツケースをつかんで逃げることしか考えてないよ」

「あんた、そのかっこうすると、まるで別人だな」岩の多い、流れのゆるやかな川に手際よく釣り糸を投げながらモーゼスが言った。「ヒッピーの生き残りみたいだよ。昔いただろ、ぽんこつのフォルクスワーゲンに花をいっぱい積んで走ってた連中が」

「ああ。それから、そいつの前ではぼくをアンディとか刑事とか呼ばないでくれよ」

「まかしてくれ」モーゼスは約束した。「危ない目に遭わないんだったら、なんだってやるよ。だが、あの釣りをしてた黒人はなんで殺されたんだろうな？　ほんとにその二の舞にならないんだろうな？　だめだろ、浮きをつけないと。餌がまっすぐ川底に沈んで岩に当たっちまうじゃないか」

「だいじょうぶ。そいつの狙いは金を取って逃げることだ」アンディは釣り糸に浮きをつけて川に投げた。「それに、このぼくがついてる」

「銃を持ってるのか？」

「ああ、ウエストバンドの下に強力な味方をな」アンディは釣り糸がわずかに引っ張られるのを感じた。

メイジャー・トレーダーはタクシーのブルーバードからおりると、運転手にここで待っていないなら料金を払わないと言った。そっとあたりを見まわすと、土留め壁の上で浮浪者が二人釣りをしていた。少し離れたところに、ぼこぼこのアルミニウム製のスーツケースがぽつんと置いてある。いざという時のために弾丸を込めたフレアガンが上着のポケットにおさまっているのを確かめてから、彼はまっすぐスーツケースに近づいた。

「これはあんたたちのか？」トレーダーは二人に声をかけた。

「そんなもの見たことないな」アンディは答えた。囮《おとり》捜査中は相手をだますようなことを言っても許されるのだ。

「わしも知らん」モーゼスが調子を合わせた。「ここに来たときはそこにあった」

「車を盗まれたんだ、スーツケースごと。だから、タクシーで来たんだが」トレーダーは言った。「盗んだやつはスーツケースをどっかに捨てるだろうと思ったよ。服と本以外なにも入ってないからな」

「だったら持っていったらいいだろ」アンディは言った。

トレーダーは二人の釣り人の様子をそっとうかがって、自分に注目していないのを確かめた。これなら、あとで警察に聞かれても、なにも覚えていないだろう。二人とも見るからにろくでもないやつで、まともな仕事に就いたこともなさそうだ。真面目な連中がせっせと働いている金曜の午後に釣りなんかしているぐらいだから。トレーダーはスーツケースの取っ手をつかんだ。持ち上げようとしたとたんに腕がちぎれそうになった。

「くそ！」彼はびっくりして舌打ちした。

二〇〇ポンドはありそうだ。一ドル銀貨が百枚に厚い札束、それに金貨も入っているのだろう。海賊どもはなかなかうまくやったらしい。もう一度スーツケースを持ち上げようとしたが、ぜんぜん動かない。開けようとしたが、ダイヤル錠がかかっていた。大汗をかきながらどうしたものかとこっそり見まわすと、あの年寄りの黒人の釣り人が――自動車事故にでも遭ったのか傷だらけだ――釣り竿を引き上げてたぐり始めた。

「かかったぞ」モーゼスが大きな声で言った。「待ってろよ、ベイビー、すぐあげてやるからな」

「またか」アンディが言った。「いつもこうだ。あんたはバケツいっぱい釣れるのに、おれはいつも手ぶらだ」

そのとき初めてトレーダーは見覚えのあるプラスチックのバケツに気づいた。反射的にアドレナリンがどっと出て、体内で警報が鳴り出した。

「あれはおまえのバケツか？」トレーダーはダイヤル錠をまわしながら聞いた。

「そうだ」モーゼスが答えた。

「それなら、どうして『パークス・シーフード』とバケツに書いてあるんだ？　タンジール島の魚屋の名前が」トレーダーは警戒してポケットのフレアガンに触れた。「あのバケツは知事の官邸のものだ。おまえのバケツのはずがない」

「さあな。知事の家になんか行ったことはないが、あした行くことになってる。知事からNASCARのレースに招待されたんでな。あのバケツはだれかがここに置いていったんだろ」モーゼスは魚を釣り上げながら言った。「なんなら、あしたついでに届けてもいいぞ」

「おまえのバケツだというのなら」トレーダーはよく見ようとしてバケツに近づいた。「なんで水が入ってないんだ？　釣った魚を入れるつもりだったら、水を入れておくはずじゃないか。でまかせを言うな、知事がおまえを招待するはずがない」

魚が暴れながら水面からあがってくると、アンディはその魚に見覚えがあるような気がした。

「マスか？」アンディはモーゼスに聞いた。トレーダーはあいかわらず汗だくになってスーツケースを持ち上げようとしている。

「ああ、こりゃまた活きのいいやつだ」モーゼスがマスを見て言った。

あせったトレーダーはスーツケースを引きずろうとしたが、それにも失敗して毒づき始めた。モーゼスがぴちぴち跳ねるマスを持ち上げてみせると、アンディはその下唇に釣り針の痕があるのに気づいた。マスはトレーダーに気づくと、反射的に死んだふりをした。

「放してやれよ」アンディはモーゼスに言った。「マスもカニもいなくても、この大嘘つきのふとっちょの身元を確認することはできる」

つけひげとポニーテールのかつらを取ると、アンディは銃を抜き出した。

「両手を高くあげろ、トレーダー」アンディは命じた。モーゼスはマスの口から釣り針をはずして川に戻してやった。

「おまえもやっと自由になれたな」モーゼスは泳ぎ去っていく魚に呼びかけた。

「おまえを逮捕する」アンディは叫んだ。

レジャイナも命令したり叫んだりしていたが、うまくいかなかった。小型種の馬のトリップは一時間前に官邸に届けられたのだが、レジャイナは調教師の指示をろくろく聞かず、調教用のビデオも見なかった。こんな小さな馬に右にまわれだの左にまわれだの、おすわり、おいで、伏せを教えるのがこんなに大変だとは思わなかった。それでも、レジャイナはせっせとこの盲導馬に大声で命令したが、トリップはダンス室の真ん中に突っ立って、きょとんと見ているだけだった。

「動け」レジャイナは指を鳴らし足を踏みならしながら命じた。

トリップはまばたきしただけだった。

「こっちにおいで」レジャイナが厳しい声で繰り返しているところへ知事夫人が螺旋《らせん》階段をおりてきた。ポットスタンドの入った箱を執事が管理している食品貯蔵室に隠しにいくところだった。

「ばかなポニーだね、おまえは」レジャイナに叫んだ。

「レジャイナ！」ミセス・クリムは息を切らせながら立ち止まった。「使用人にそんな口のきき方をしてはいけません」

「わたしにおっしゃったんじゃありませんです、奥さま」ポニーが糊《のり》のきいた上着姿で現れた。「その箱、お持ちいたしましょう」

「いったいなんの騒ぎだ？」知事が客間から出てきて、拡大鏡越しに様子をうかがった。なんとなくとまどった顔をしている。「ここはどこだ？　執務室に入ったら、デスクがなくなっていた。だれかデスクを移したのか？　その箱はなんだね。モード」

「不用品をかたづけようと思って」知事夫人はとっさに口実を考えた。「クローゼットを整理していたら、テレビショッピングで買った回転式の靴収納ハンガーが出てきたの。ほら、あれですわ。でも、ちっとも役に立たなかったし、かけてあった靴はほとんど流行遅れになったから」

「デスクはいつもの場所にあります」ポニーが知事に言った。「二階にご案内しましょうか」

「これはなんだ？」知事は小型種の馬を見た瞬間、この馬に惚《ほ》れ込んでしまった。「なんときれいな馬なんだ、おまえは。それにハーネスがまたしゃれているじゃないか、握りは革で。それになんと靴まではいてる」

「靴はいてないとフローリングですべっちゃうでしょ」レジャイナがいらいらしながら説明しているあいだに、知事夫人は階段を駆け下りてポットスタンドを隠しに行った。「だけど、この馬、役立たずよ、お父さま。はっきり言って、なんかの役に立つとは思えない。ほら、こっちにおいで」レジャイナは無関心な馬に向かって手を叩いた。「ばかだね、こっちにおいでったら。言うこときかないと返してしまうわよ。そしたら、ほかの家に行くことになるよ、使用人もリムジンも料理人も要人のお客もいない家に」

「教え方が悪いんじゃないか」知事はトリップに近づいて、ふさふさした赤いたてがみを撫《な》でた。「おすわり」

トリップは突っ立ったままだ。

「取ってこい」知事は東洋の敷物の上にステッキを投げるふりをした。「まあいい。そのままで」

トリップはそのまま立っていた。

「ご主人さま」ポニーが呼びかけた。「三時の軽食にはなにを召し上がりますか？」

「そうだな、卵二個とトースト一枚でいいだろう」知事は拡大された潤んだ目を新しい盲導馬に向けながら答えた。

「卵は両面焼き《オーバー》に？　それとも片面焼き《アンダー》に？」

「アンダー」知事が答えると、トリップは象嵌《ぞうがん》細工をほどこした連合スタイルのマホガニーのカードテーブルの下《アンダー》に潜り込んだ。

「どうした？」知事は膝をついてトリップを誘い出そうとした。「この馬はどこかおかしいのかな。おまえが大声で脅しつけるから、こわがってるんじゃないか」知事はレジャイナに言った。

「当たり《ライト》」レジャイナが皮肉たっぷりに言うと、トリップはテーブルの下から出てきて、くるりと右《ライト》まわりすると、マジックテープでとめたテニスシューズを踏み鳴らして部屋のなかを歩きはじめた。「どうせ、あたしが悪いのよ。なにかあるたびに責められるのは、このあたし。ちゃんと調教してるわ。悪いのはあのばか馬よ。あいつのせいでなにもかも……」

「待て」知事は娘にそれ以上言うなというつもりで言った。

　トリップはぴたりと止まった。

「ご主人さま」ポニーがまた言った。「卵にはオランデーズソース、バター、塩、胡椒、それともほかになにかお使いになりますか？」

　クリムは腹のなかの潜水艦と相談した。いまのところ機嫌よく潜航している。メイジャー・トレーダーの差し入れの菓子を食べなくなってから、ずっとこの平穏が続いていた。この調子なら、我慢して刺激物を避ける必要はないだろう。なにも考えずに好きなものが食べられるとは、なんという幸せだろう。

「ハムを食べてみようか」知事は言った。

「ハムエッグもよろしいですね」ポニーが言った。トリップはまた部屋を歩きはじめた。握る人のないハーネスをぶらぶらと揺らしながら。

「ああ、そうしよう」知事は満足そうに言った。「うんと食べる《ロード・アップ》ぞ」

トリップが急に立ち止まって、今度はエレベーターのほうへ歩き出した。

「あれは……」ポニーがびっくりして言った。「あの馬はいったいどこへ行くつもりなんでしょう。あのまままっすぐ進んだら……」

「リフトだ」知事はエレベーターという代わりにイギリス式にリフトと言った。なんでもイギリスのものが好きだからだ。

トリップが立ち止まって蹄《ひづめ》をあげた。

「こっちの言うことがわかってきたようだな」知事はトリップに近づいて頭を撫でながら言った。「もういいんだよ、足をおろしても」

トリップは動かなかった。

「長くしゃべると駄目みたいですね。一語か二語にしないと」ポニーが言った。「アップ」

馬は蹄をおろすと、またエレベーターに向かって歩きはじめた。ポニーは好奇心をそそられて、下りボタンを押してみた。ドアが開くと、トリップは乗り込んだ。

「どうなるか見届けてみよう」知事が言った。こんなおもしろい思いをしたのは久しぶりだった。

知事とポニーはトリップとエレベーターに乗った。ドアが開いたのは官邸の厨房の前だった。トリップは突っ立ったままおりようとしない。

「どう言えばいいかな」知事は考えた。「反対を言えばいいわけだから、ダウンか。ダウン、トリップ」

トリップはぱかぱかと蹄を鳴らしながらエレベーターからおりた。

「当たり《ライト》」ポニーは知事をほめた。

馬はくるりと右《ライト》にまわって、開いたドアから入っていった。知事夫人がポットスタンドの重い箱を棚にのせようと奮闘している部屋に。スニーカーの足音に振り返った夫人は、そこに夫が立っているのを見て、悲鳴をあげながら箱を床に落とした。たくさんのポットスタンドが派手な音を立てながら、数世紀の歴史のある松の芯の床材に散らばった。

「待って！」ミセス・クリムは釈明しようとしたが、いろんな考えや恐怖がいっぺんに湧き上がってきて言葉にならなかった。

トリップが止まった。

「これはなんだ？」知事はとまどいながら聞いた。そして、拡大鏡を通してポットスタンドを眺めた。「なるほど《オーケー》」

トリップは待ての命令が解除されたと思って、ポットスタンドが散乱した食品貯蔵室に入って次の命令を待った。

「そういうことだったのか」知事は言った。「ショッピングか、やっぱり。ポットスタンドをまた隠そうとしてたのか。わたしはてっきりおまえが官邸で男性に不道徳な歓待をしていたのかと思っていた」

「なんてことをおっしゃるの？」知事夫人はそう言うと、床にかがみ込んで、大切なポットスタンドを――少なくとも最近インターネットで手に入れたものだけでも拾い集めようとした。「ベッドフォード、わたし、あなたを裏切ったことなんかありませんわ」

「もういい」知事は妻にポットスタンドを拾うのはやめておけと言ったつもりだったが、トリップは命令にしたがって、なにもしないでいた。といっても、ただ次の命令を待っていただけだから、もともとなにもしていなかったのだが。

「またとおっしゃったわね？」ミセス・クリムは驚いた顔で言った。「わたしがポットスタンドを隠しているのをご存知だったの？」

夫人に非難がましい目を向けられると、ポニーは肩をすくめて、「わたしがばらしたのではありません」という顔をした。

「ああ、あちこちで見かけたからな」知事は説明した。「正直なところ、がらくただと思ってたよ、前世紀の知事が残していったのかと」

「がらくたなんかじゃありません」ミセス・クリムは憤然として言った。「それに、とても高いものなんですのよ」うっかりとつけ加えた。

「返してしまえ《センド・バック》」知事は命じた。

「返せ《バック》ですって？」知事夫人が声を張り上げると、トリップは一歩後退して、馬蹄形のポットスタンドを踏んで、犬の絵のついた透かし模様のポットスタンドにぶつけた。

「これは驚いた」ポニーが感心した。「これが蹄鉄だってわかったんですよ、きっと。だから上に乗ったんですよ。犬もわかったんじゃないですかね。利口な馬じゃありませんか。きっと、フリスキーの代わりに自分がペットになりたかったんでしょう」

「だったら、二匹を離しておかなくては」ミセス・クリムの心配の種がまたふえた。「かわいそうなフリスキー。どんなに悲しむかしら。みんながこのポニーばっかりかわいがったりしたら」

これは不用意な発言だった。というのも、夫人がこの小型種の馬をポニーと呼んだおかげで、知事の頭には目の前の馬＝ポニーという図式ができあがり、執事のポニーときわめてまぎらわしい結果となったからだ。

「こっちへ来い、ポニー」知事がトリップを食品貯蔵室から誘い出そうとして言うと、執事は呼ばれたと思って食品貯蔵室に入り、広くもない部屋に彼とトリップ、知事夫妻がひしめき合って、床に散らばったポットスタンドを踏むことになった。「いい子だから、ポニー、そこから出ておいで」知事はトリップがフリスキーのように、ごほうびのビスケットを期待していると思い込んでいるようだった。

執事は廊下に出たが、トリップはびくともしなかった。

「おまえも頑固なやつだな、ポニー」知事はいくぶんきつい口調で言った。

「申しわけございません」執事はすっかり混乱してしまった。「お気にさわるようなまねをするつもりはなかったんですが。卵は片面焼き《アンダー》でしたね。それから、たくさん召し上がる《ロード・アップ》ともおっしゃいましたね」

「そうだ《ライト》」知事はうわの空で返事をしながら、拡大鏡越しにトリップを見つめていた。馬は食品貯蔵室のテーブルの下から出て、エレベーターのほうに進み、右まわりして厨房に向かっていった。

「こんな利口な馬は見たことがありません」ポニーは驚嘆した。「ごらんください、きっと知事のために卵を焼く気なんですよ。さあ、よく聞くんだよ」彼はトリップに向かって言った。「アンダー。ロード・アップ。ご主人さまはそういう卵料理をお望みだ」

トリップは肉切り台の下に潜ってから、エレベーターのほうに戻っていった。

「ちょっと冗談がすぎましたかな」ポニーは遠慮がちに知事夫妻に言った。「やっぱり馬に料理は無理のようで。もしそんな馬がいたら、官邸の使用人は馬ですむわけで、わたしどもはお役ごめんですな」

「馬が料理したものなんか食べられませんわ」ミセス・クリムは顔をしかめた。「考えただけでも不潔だわ」

「お役ごめんで思い出したが」知事はトリップのあとを追いながら言った。「おまえのことを矯正局に問い合わせなければな。電話をかけておこう」

「では、あのトルーパー・トゥルースのコラムをごらんになったんですね、わたしのことを知事に頼んだ」ポニーの声には喜びと驚きがあふれていた。「ああ、トルーパー・トゥルースがどこのだれかわかったら、お礼が言えるのに」

28

「うるさい！　静かにしろ」悪臭の漂う、薄暗い窮屈な監房の奥から、とんがった声が聞こえた。夜も更けて、留置場の灯は消えていた。

「うるさいのはそっちだ」メイジャー・トレーダーは、自称スティックというけちな悪党にどなり返した。頭から袋をかぶっていてなにかにぶつかり、気絶したふりをして病院まで救急車にただ乗りするつもりだったが、つかまってしまったという。

「黙れ！」また別の声が飛んだ。暗くてよくわからないが、スリム・ジムとかいうやつだろう。車のロックをこわして、通行料金とサングラスを盗む常習犯だ。

「おまえこそ黙れ！」トレーダーは言い返した。やけになっていたから、同房者を怒らせてもこわくなかった。

「いいかげんにしねえか、ばか野郎」寝ていたところを起こされてきりきりしているのはスニッチだ。

「シー」メキシコ人の少年も割り込んできた。「みんな、静かにしてよ、お願いだから《ポル・ファボル》」

「おまえは引っ込んでろ、プエルトリコ野郎」トレーダーが言った。

「なにを！」メキシコ人の少年が息巻いた。「見てたぞ、あんたがゴミ箱のまわり跳ねまわってるとこ」

「ほんとかよ？」スティックが言った。「こいつ、おかしいとは思ってたが、ゴミ箱のまわりで跳ねまわってなにしてたんだ？」

「マスかいてたんじゃねえか」メキシコ人の少年は言った。彼だけは同房者に名前を教えないし、警察にも未成年だと認めなかった。「おれ、サツに追っかけられてバーの裏に隠れてたんだよ。そしたら、こいつが自分の息子おさえて跳ねまわってた、変な声出しながら。おれ、あわててずらかったよ、変態《ロコ》だと思って」

「そんで、またここでいっしょになったとは、おまえ、ついてるな」スニッチは皮肉な調子で言うと、ぺちゃんこの枕を頭の下に押し込んだ。「おれたちみんな、ついてるぜ。このでぶの変態野郎といっしょになれてよ」

「おまえ、跳ねまわってなにしてたんだ？」スティックがトレーダーに聞いた。

「おまえたちに教える義理なんかない。わたしのすることにはちゃんと理由があるんだ。動機《モーティブ》もないのに行動したりしない」

「恐れ入ったぜ。ロコのモーティブだとよ」スリム・ジムが茶化した。

「おれたちのベッドの隣に機関車《ロコモーティブ》がいるんだ」

「みんな、喧嘩はやめよう。ここにいるだけでもつらいことだ。お願いだから、ほんの少し思いやりを持って、平和を祈ろうではないか」ポンティウス・ジャスティス牧師が言った。

彼はゆうべバービー・フォッグの自宅にビデオテープを届けに行った帰り道で、道端に立っていた女性にフェラチオを持ちかけたところ、相手は娼婦ではなくて、車が故障し携帯電話の電池も切れて困り果てていた未婚女性だった。

「どうしてわたしがあなたから二十ドルもらったりできるでしょうか」ジャスティス牧師がキャデラックに近づくように合図すると、その女性はもったいぶった口調で言った。「タクシー代にというご親切はありがたいけど、見知らぬ方からお金をいただくことはできません」

「なんに使おうとかまわない」ジャスティス牧師は答えた。酔っていたし、地域パトロールを始めたのに犯罪を防止できず、挫折感に打ちひしがれてもいた。「わたしの車に乗って、ちょっといい気分にさせてくれたら、この手の切れそうな二十ドル札を好きに使っていい」

この女性はバービーの隣人のウヴァ・クロットだったのだが、遠くから暗がりに立っているのを見たときよりずっと年取っていた。彼女はキャデラックに近づくと、車のナンバーを控えてから、大声で助けを呼んだ。ジャスティス牧師はあわてて車を出したが、パトカーが追いかけてきた。サイレンを鳴らし、ライトを彼の酩酊した頭のようにぐるぐる回転させながら。

「ところで、あなたはどうしてここに？」牧師はトレーダーが巨大なジャガイモの袋のようにベッドをふさいでいる監房の暗い一角に向かって尋ねた。

「わたしは海賊だ」トレーダーはどすの利いた声で言った。

「神さま、わたしたちを守りたまえ」牧師はショックを受けて叫んだ。「まさか、あの気の毒なトラックの運転手を殴って、カボチャを盗んだハイウェイ・パイレーツの仲間じゃないだろうな」

「おまえの知ったことか」

「ああ、神さま」

「動物をいじめることにもスリルを感じるんだ」トレーダーはつけ加えた。異常性格者にはくわしかったから、最初は無力な動物を虐待することから始めて、次第に暴力犯罪がエスカレートしていくのを知っていた。

彼自身、昔、カニの養殖場に放火して、母ガニや赤ちゃんガニや一時的に甲羅を失った脱皮中のカニたちを殺したときにも良心の呵責《かしゃく》を感じなかった。漁船が燃えても平気だったし、ヒルダのチェサピークハウスが全焼していたとしても、タンジール島が焼け野原になってもかまわなかった。ハマーの愛犬のボストンテリアを残忍なスモーク一味に盗ませたときも、心の平穏が乱されることはなかった。あんな犬なんか早く殺されたらいい。あの女署長の悲しむ顔が見たいものだ。

「そりゃないぜ」スティックが暗い監房のどこかで声をあげた。「おれはそれだけはやったことがないし、やろうとも思わない。なんて野郎だ、こいつ。トイレで溺れさせてやったらどうだ」彼は同房者に言った。「二人がかりで押さえつけて、残ったやつがみんなで頭を突っ込むんだ」

「おれの小犬が車に轢かれたんだ、おれがずっと八年生だったとき」スリム・ジムが悲しそうに言った。「そのショックからずっと立ち直れなかった。轢いたやつはブレーキもかけなかったんだ」

「どういうことだ？『ずっと八年生だったとき』って」スニッチがベッドの上で上半身を起こして、痛む腰を支えるために枕を軽量コンクリートブロックに当てた。

「出してくれなかったんだ、八年生から」スリム・ジムが答えた。「ここと おんなじだ。何年たってもまた八年生やれって言われて。担任のミセス・ノックのせいで」

「そんな名前じゃ、そのクラスでノック・ノック・ジョークが大流行しただろうな」スティックが言った。

「そうなんだ。本人は頭にきてたけどな」スリム・ジムは挫折つづきの人生のなかでひときわ屈辱的な時代を思い出したようだった。「トン《ノック》・トン《ノック》」彼はドアを叩くまねをした。

同房者がこのジョークを続けてくれるのを待っている。しかたなく、牧師が応じた。

「だれだい？」牧師は決まりどおりに聞いた。「うるさい！」トレーダーが軽蔑した口調でどなった。

「うるさい、だれ？」牧師がジョークを続けた。気晴らしの種ができてほっとしたのだろう。

「そのうるさい海賊野郎をトイレにぶち込んで、流してしまえ」

「それがいい。おれの小犬を轢き逃げしたのも、おまえだったんじゃないのか？」スリム・ジムがトレーダーに言った。

「それはありえない」トレーダーは冷ややかに答えた。「ひとつには、わたしがおまえの住んでいた貧民窟に足を踏み込んだ可能性がきわめて低いからだ。どうせ、連邦政府の保護住宅に住んで、配給のチーズで食いつなぎ、盗んだスニーカーを履いてたんだろう」

「なんだと！」スリム・ジムはいきりたった。「首根っこをへし折って、そのからっぽの頭をトイレから流してやる、おまえにぴったりの下水にな」

「やめなさい」牧師が止めた。「さあ、みんなで神の許しを願い、隣人として愛し合えるように祈ろう」

「おれ、自分を愛したことなんかねえ」スニッチが言った。

「おれもだ」スリム・ジムもしょんぼりと言った。「あの小犬がおれの目の前で轢かれたときから、愛するのをやめたんだ。二度となにも愛さないと決めた。なにか愛したら、つらくなるってわかったからな」

「言えてるぜ」スティックがあいづちを打った。

キャンピングカーにいるのはポッサムだけだった。スモークと仲間たちは夜のクルージングに出かけた。ポッサムはジョリー・グッドレンチの旗を仕上げなければならないからと口実をつけて、ポパイと残ったのだった。

「メールを受信しました」コンピューターのアナウンスが入った。

とたんにアドレナリンがどっと出て、どきどきした。ポッサムのメール相手はたいてい同じようなハイウェイ・パイレーツだから、こんな遅い時間には酔っ払ってるか、らりってるかで、コンピューターの前にすわっているやつなんかいない。ポッサムは起き上がって、木箱にすわると、マウスをクリックしてメールボックスをのぞいた。送ってきたのがトルーパー・トゥルースだとわかると、胸が躍ったが、同時に不安になった。

匿名くんへ

重要な情報を提供してくれたきみは、きっといい人なのだろう。またメールをくれるのを待っていたが、なかなかもらえないので、こちらから連絡をとることにした。喜んでもらえると思うが、ボニー船長（別名メイジャー・トレーダー）はさきほど逮捕され、いまは留置場にいる。ぼくが手配したのだが、きみには最後まで役目を続けてもらいたい。

ポパイを誘拐して、なにかたくらんでいるそうだが、それがほんとうだという証拠はあるのだろうか？　きみがだれかを傷つけるような人間ではないと信じたい。ポパイを無事に救い出すためにきみと相談したいのだが、どこかで会えないだろうか。

トルーパー・トゥルース

ポッサムはしばらくぼんやりとすわり込んでいた。希望に胸がふくらむと同時に死ぬほどこわかった。スモークをはめようとしてどじったら、生きてはいられない。ポパイだってそうだ。ポッサムがポパイを撫でると、ポパイはぴょんと膝に飛び乗ってスクリーンをのぞき込んだ。メールを読んでいるみたいだが、ポッサムは信じられなかった。犬は字なんか読めない。ポッサムの知り合いはたいてい字が読めない。スモークも、あの変わり者で残酷な彼のガールフレンドもろくろく字が読めないから、必要な情報はポッサムかテレビニュースから仕入れている。

「どうしようか？　ポパイ」ポッサムはささやいた。

ポパイは鉛筆をくわえると、キーボードを叩き始めた。ポッサムがびっくりして見守っていると、スクリーンに文字が現れた。「やるしかないよ《JUST DO IT》」

「なんで読み書きできるってこれまで教えなかったんだ？　おまえ、ナイキのコマーシャルも知ってるんじゃないか」ポッサムはポパイを抱き締めながらささやいた。

ポパイは彼の首を舐めながら、「お願い、助けて」と心のなかで叫んだ。

「おれにどうしてほしい？」ポッサムはスクリーンの文字が助けを求める非常灯のようにちらちらと揺れているのを見つめながら聞いた。

ポパイは膝から飛びおりてベッドに乗ると、ジョリー・グッドレンチの旗を前足でひっかき始めた。

「うまくいくと思う？」ポッサムはまたポパイに聞いた。「けど、なんでわかったんだ、おれが考えてること。なんでこの旗作ったかとか。どじったら、おれたち終わりだよ」

ポパイは旗の上で丸くなって寝てしまった。心配することなんかないよというように。実際、ポパイはポッサムの知らないことを知っていたのだ。トルーパー・トゥルースはほんとうはアンディ・ブラジルだ。あの大胆不敵なアンディはいつも悪に打ち勝つ。ポパイの飼い主もそうだ。でも、ポパイはポッサムがどうなるかよくわからなかった。ポッサムが刑務所に入れられたり、ひどい目に遭わされたりしたら、かわいそうだ。ポパイは目を開けてベッドからおりた。ドアをがりがりやって、開けてほしいとポッサムに訴えた。ポッサムがドアを開けると、リビングルームに行って、よれよれのトランプのカードをごそごそやって、スペードのエースをくわえてきた。

「わかんないよ、なにが言いたいのか」ポッサムはささやいた。「ちょっと待てよ。切り札を用意しとけってことかな？」

ポパイは黙って彼を見つめて、かなり近いが、ちょっと違うという顔をした。

「勝負しろってことかな？」

ポパイは反応を示さなかった。

「はったりをかけろ？」

ポパイはいらいらしてきた。人間はどうしてこんなに鈍いのだろう。そこへいくと、動物ははっきりしていて、嘘もつかないし、隠し事もしない。病気のときや、ひどい目に遭わされたときは別だが、そのほかのときはただ生きていて、大切にされ、愛されることしか考えない。ポパイはポッサムの手からカードを奪うと、それを何度もキーボードに投げた。ちょうどディーラーがカードを配るように。

「ディール？」ポッサムが頭を掻くと、ポパイは彼の素足を舐めてわんわんと吠えた。「取引しろってことか、トルーパー・トゥルースと」

ポパイはポッサムの膝に飛び上がって顔をぺろぺろ舐めた。ポッサムはこわばった顔で深呼吸すると、キーを叩き始めた。ぎりぎりで間に合った。アンディは返事を待つのをあきらめかけていたからだ。

トルーパー・トゥルースへ
ぼくを信用してくれてだいじょうぶです。でも、困ってます。あなたを助けたら、ぼくは困ったことになりそうです。というのは、ぼくはスモークの仲間につかまってるみたいなもんで、彼らをはめようとして成功したとしても、結局、刑務所行きになりそうだからです。実は、モーゼス・カスターの足を撃って、ブーツを吹っ飛ばしたのはぼくです。しかたなかったんです。やらないと、スモークにひどい目に遭わされるし、ぼくも撃たれたかもしれない。それに、スモークはいつだって、ぼくが言うとおりにしないと、ポパイをひどい目に遭わせるっておどかします。
どうしたらいいかわかりません。

アンディはメールを読んで、スモークがポパイの誘拐にかかわっていたことを初めて知った。スモークが侮《あなど》りがたい相手であることもわかっていた。彼はさっそくこの匿名の相手に返事を出した。

匿名くんへ
きみがモーゼスに発砲した弾丸は的をはずれた。彼が入院したのは、ハイウェイ・パイレーツにひどく殴られたり切られたりしたからだ。きみも彼を殴ったのか？　切りつけたのか？

トルーパー・トゥルース

トルーパー・トゥルースへ
そんなことしてません。ぼくは彼を撃ったけど、それ以外はカボチャを川に捨てるのを手伝っただけです。切り傷のことだけど、あれはユニークだ。弾がはずれてよかった。これで自分を許せるし、ホスももう怒らないと思う。

アンディはホスがだれだかわからなかったし、切り傷がユニークだというのもよくわからなかったが、思いきって勝負に出ることにした。

匿名くんへ
きっとホスはハイウェイ・パイレーツがつかまって、ポパイも含めて、だれもひどい目に遭わされないですむことを望んでると思う。ホスは本気で怒っていたわけじゃないと思うよ。彼は弾がはずれたのを知っているはずだから。彼はなんでも知ってる。たぶん、きみがスモーク一味のことを警察に知らせなかったのにがっかりしたんじゃないかな。さあ、勇気を出して正しいことをしよう。まず、どうしたらスモークの仲間に感づかれずにやつらを見つけられるか教えてくれ。そうすれば、きみは警察に協力したことになって、刑を免除される。もうわかってくれたと思うが、ぼくはいつでもほんとうのことしか言わない。

トルーパー・トゥルース

返事はすぐ来た。

トルーパー・トゥルースへ
レース場に行って、ジョリー・グッドレンチの旗を持ったピットクルーを探してください。それがぼくら海賊だ。ぼくはポパイを抱いて、できるだけそばに寄らないようにしてるけど、キャットが州警察でヘリコプターの操縦を習ってて、スモークがいっぱい人を殺したあと、それでタンジール島に逃げることになってる。

「まさか!」アンディはメッセージを見てつぶやいた。いま操縦を教えている州警察官がいるとしたら、ひとりしか思い当たらない。州警察のパイロットは目下、深刻な人手不足なのだから。「マコヴィッチのやつめ」アンディは声に出して言った。「自分がなにをしてるかわかってるのか」

もちろんマコヴィッチは聖人ではないし、頭が切れるほうでもないが、アンディは彼がそんなことをした理由が知りたかった。ブリーフケースをひっかきまわして、去年、「袋男」の捜査をしたときの書類を引っ張り出した。そして、フーター・シュックの自宅に電話した。

しつこく鳴り響くベルの音に手探りで受話器をとると、フーターは寝ぼけた声を出した。

「もしもし」

どうせまたマコヴィッチだろう。このところしょっちゅう電話してくるし、用もないのに料金所にやってくる。あの男はセックスのことしか考えていない。フーターは思い出しただけで腹が立ってきた。あんな男は初めてだ。これまでの男たちは、初めてのデートでは少なくとも一時間か二時間はかけて、手を握ったりディープキスしたりするのに興味はあるかどうかそれとなくさぐってきた。なのに、マコヴィッチときたら、フレックルズのボックス席で飲んでいたとき、いきなりテーブルの下で手を伸ばしてきた。料金所の道路標識のそばでおしゃべりしたときは、けっこういけてると思っていたのに。

「もう電話しないでって言ったでしょ」フーターはアンディがひとことも発しないうちに言った。

「このところずっと電話してないけど」アンディは言った。「当ててみようか、マコヴィッチだと思ったんじゃないかな」

「あら、声がちがうわね」フーターは機嫌を直した。

「トルーパー・トゥルースだ」アンディは大胆にもそう名乗った。

「まさか……あたしをかついでるんでしょ」フーターは半信半疑だった。電話の声がアンディだとは気づかなかった。白人の男の声は彼女にはたいてい同じように聞こえるからだ。

「トルーパー・トゥルースがあたしに電話かけてくるわけないわ」

「それが、かけてるんだよ」アンディは自信たっぷりに言った。「電話したのは、きみの助けが借りたいからだ。きみはこの前の晩、マコヴィッチとフレックルズで飲んだそうだね」

「最低だった」

「勘定は彼が払ったんだね？」

「さあ」フーターは答えた。「あたし、空気を吸いに路地に出てたから。そしたら、頭の変な男がいて、自分のあそこにピストル向けて……」

「ああ、その話なら聞いた」アンディはやんわりと口をはさんだ。「ぼくが知りたいのは、マコヴィッチが財布を取り出すところを見なかったかということだ」

「たぶん一杯ごとに払ってたと思う。あの店にいたアフリカ系アメリカ人はあたしたちだけだったし、後払いにしてくれるほど信用されるわけないもの」

「ほんとにそうかな」アンディは言った。「フレックルズはそんな店じゃないし、きみの被害妄想じゃないかな。もしかしたら、マコヴィッチはきみにいいところを見せようとして、現金を見せびらかさなかった？」

電話の向こうで沈黙があって、フーターが考えているのがわかった。

「そういえば、そうだったかも」しばらくすると彼女は言った。「たしかに、お金を見せびらかしてた。あたしが黴菌だらけのお金なんか見たくもないのを知ってるくせに。ほんとに最低。テーブルの下で脚つかもうとしたり。でも、いま考えたら、あれはあたしにいいとこ見せたかったのかも。料金所で働いてると、『ありがとう』とか『いい一日を』とか声かけても、あいさつを返してくれる人なんていないから、あたしが白人じゃないからだと思ってた」

「世間には無礼で自分のことしか考えてない人間はいくらでもいるよ」

「かもしれないわね」フーターは言った。態度がずいぶんやわらかくなったし、目も覚めたようだ。「あの人、たしかにお金見せびらかしてたわ」フーターはまた言った。「煙草の煙でよく見えなかったけど、二十ドル札が何枚も入ってたし、百ドル札もちらっと見えた。あたし初めて見たわ。百ドル札なんて、料金所じゃまずお目にかからないから」

やはりマコヴィッチはヘリコプターの操縦を教えて、大金を受け取っていたのだ。夜間か非番の時、格納庫にだれもいない時間をみはからって教えていたのだろう。アンディは台所に入って、時間を確かめた。午前一時を少しまわったところだ。平服に着替えて、銃と携帯無線機を用意すると、彼は車を出した。

空港に着くと、思ったとおりだった。ベル430は格納庫から消えていて、まだ新しいセーラムライトらしき吸殻が滑走路に散らばっていた。燃料トラックのそばにも落ちている。

アンディは無線機を州警察の航空機の周波数に合わせた。

「4《フォア》-3《スリー》-0《ゼロ》-シエラ・パパ」アンディは呼びかけた。

アンディの声がヘッドセットから聞こえてくると、マコヴィッチはぎくりとした。隣ではNASCARカラーの服を着たキャットが、チェスターフィールド飛行場付近の上空でヘリコプターを一定の高度に保とうと苦労していた。

「現在通信不能《サーティー》、シエラ・パパ」マコヴィッチは平然とした声を出そうとした。

「だれだい?」キャットが知りたがった。

「スタンバイしててくれ」マコヴィッチはアンディに伝えた。「管制塔だ」マコヴィッチはインターコムでキャットに教えた。この前みたいにへまをやって、こっちの会話が筒抜けになったら大変だ。

「おれにしゃべらしてくれよ」キャットがそう言うと、機体がぐらりと揺れた。「無線の練習もしとかなきゃ」

「いまはだめだ」マコヴィッチはマイクを通して言った。「低空飛行したほうがいいぞ。いまのままじゃ高すぎる。それに、こんな飛び方してたら、管制塔から苦情が来る。おれが出るから、しばらくヘッドセットをはずしとけ。どうせろくなことじゃないんだから。こら、フェンスからもっと離れろ。八〇〇フィートに保って、おれがしゃべってるあいだ、ただまっすぐ飛ばしてろ」

キャットはヘッドセットをはずして、オークリーのサングラス越しに目を細めて、前方にそびえる黒い木々の影を見ようとした。

「現在通信不能、シエラ・パパ」マコヴィッチはアンディに言った。「いま手が放せないんだ」

「了解。そうだろうと思ったよ」アンディはなにもかもお見通しだという口調で言った。

「あんたの生徒は規則違反をしてるぞ」

「どういう意味だ？」マコヴィッチは次第に不安になりながら、コレクティブ・ピッチレバーを引いて、ヘリコプターが木々にぶつかるのを避けた。この物覚えの悪いNASCAR野郎に教えるようになってからしょっちゅうこういうことがあるから、ほとんど反射的に手が出た。

「生徒に管制塔がすみやかに着陸するよう指示していると伝えろ」アンディはマコヴィッチに命じた。

「了解」マコヴィッチはしぶしぶ答えると、キャットのヘッドセットを叩いて、またつけるように伝えた。「ちょっと面倒なことになった」マコヴィッチは言った。「これはおれのヘリだ。ペダルから足を放すなと二度とおれに言わせるんじゃないぞ。連邦航空局とまずいことになった。なんとか手を打たんとな。さもないと、おまえも大変なことになるし、二度と飛べなくなるぞ」

「くそ！」キャットは毒づいた。「レースはどうなるんだよ？ こんなときに面倒なんか起こしやがって。おれんとこの世界的に有名なドライバーが黙っちゃいないぜ。彼は州知事とも大統領とも友達なんだからな。おまえなんかすぐ首にできる」

「心配すんな」マコヴィッチはリッチモンド空港に戻りながら言った。「おれが始末をつけてやる」

始末をつけられたのはキャットだけで、それから一時間とたたないうちに、市の留置場に入れられた。暗い監房は満員で、だれもが黙れと叫びあいながら、轢き逃げされてぺしゃんこになった小犬のことをしゃべっていた。アンディは家に帰るとすぐハマーに電話して、事情を伝え、ポパイは無事でウィンストン・シリーズのレース場で救い出せるはずだと言った。

「マコヴィッチに思い知らせてやるわ」ハマーは言った。「八時きっかりにわたしのオフィスに来るように言ってちょうだい。銃とバッジを取りあげるから」

「それはどうかな」アンディはやんわり反対した。「スモークはまだキャットがつかまったのを知らない」

「彼のせいで計画が狂ったことも」ハマーは言った。「彼が突然いなくなったら、計画を変更するんじゃないかしら？」

「そうならないように考えてあります」

「そう願いたいわね」

「ぼくが407で知事一家とモーゼス・カスターをレース場に送ります」アンディは作戦を説明した。「私服の州警察官とEPUを少なくとも二十人、レース場に配置しましょう。マコヴィッチには予定どおりスモークたちをヘリコプターで迎えに行かせる。ご心配なく、ぼくが手配します」

「なにを言ってるのよ、アンディ」ハマーは納得しなかった。「レースには十五万のファンが押し寄せるのよ。二十人ぐらいで知事や来賓や観客を守れるわけがない。銃声があがったとたんに、みんなパニックになって右往左往するにきまってる。レーシングカーがトラックからはずれて衝突でもしたら大惨事になるわ。州警察だけでできることじゃない。

それに、もしタンジール島民が反乱でも起こしたら。いまだにNASCARがあの島を乗っ取る気だと思い込んでいるんだから。なんらかの敵対的行動をとるとしたら、きっとレース中を狙うはずよ」ハマーは悲観的な予測を続けた。「島にも警察官を配置したほうがいい。

あなたに島民をなだめるようなコラムを書いてもらいたいところだけど、タンジール島にコンピューターがあるとは思えないし」

「いまのところ、島の人からの通信は届いていませんね」アンディは言った。「だから、たぶんそのとおりなんでしょう。でも、パラボラアンテナはあったから、テレビは見ている。彼らの気を逸らすような状況を作り出したらどうかな？　次のコラムでなにか考えてみますよ、テレビニュースになるようなことを」

ふと、フォニーボーイが持っていた錆びた鉄片のことを思い出した。なにか値打ちのあるものを外部の人間が持ち出そうとしていると伝えれば、島の住民はやっきになって阻止しようとするのではないだろうか。アンディは慎重に言葉を選びながら、あの匿名の海賊の友達にメールを書いて、コンピューターをトルーパー・トゥルースのサイトにログインして、次のコラムを読むように指示した。そして、キャットは自動回転《オートローテーション》の練習で忙しく、検定飛行も受けることになったので、レースが終わってからタンジール島で落ち合うことになったとスモークに伝えるように頼んだ。仲間が島に着くまでに上空から偵察して安全な場所を探しておくそうだともつけ加えた。

「スモークたちにはこう伝えてほしい。キャットは島のどこかに莫大な宝物が隠されているという噂を聞いて、一足先に行くことにした。それで、きみたちをレース場に送るのは、インストラクターに頼んだ。そのインストラクターがきみたちを島まで連れていってくれる。

キャットは船を出して、宝物が奪われないように見張っているそうだ、と。もしキャットがコンピューターを持っていなかったり、使い方を知らないのなら、このメールはヘリコプターのパイロットのマコヴィッチ州警察官から届いたことにしてほしい。彼はきみたちと運命をともにする決心をして、ヘリコプターの操縦のほかにもスキューバダイビングの装備を用意し、マネーローンダリングの方法を考え、きみたちの望みどおりにカナダにでもどこにでも送るつもりでいる。その見返りには、宝物をいくらか分けてもらえばいいそうだ、と」

ポッサムはこのトルーパー・トゥルースからのメールを読んで、いくぶんとまどい、心配もしたが、結局、指示されたとおりにコンピューターを彼のウェブサイトにログインして、スモークに伝言を伝えた。だが、ポッサムには最後にひとつだけ聞いておきたいことがあった。

トルーパー・トゥルースへ
これが最後のメールになるけど、赤い上着を着たポパイのあの写真、あなたのウェブの最初のページからはずしてもらえないでしょうか。なぜかっていうと、もしスモークがあの写真を見たら、ポパイはおしまいだからです。だって、彼はあのポパイの飼い主の女署長以外のだれかがポパイを捜してるなんて知らないから。

P.S. ぼくの名前はポッサムだけど、スモークに仲間にならないと殺すっておどされる前はジェレミア・リトルでした。ぼくのママに電話して、ぼくは元気だし困ってないって伝えてくれませんか？ それから、ママにまだパパと暮らしてるのか聞いてください。もしそうだったら、ぼくはあの地下室に帰れないし、スモークから逃げられて、ここから出たとしても、どこにも行くとこがないんです。

P.S. P.S. ぜったい約束、忘れないでください。

アンディはインスタント・メッセージですぐに返事を出して、ポパイの写真はすぐにはずしたし、もちろん、ポッサムのママに電話するし、約束はすべて守るとポッサムを安心させた。そして、さらにこう書いた。

レース場から逃げるときは、まっさきにマコヴィッチ警察官が操縦する大型ヘリの後部席に乗り込むんだ。そして、ポパイといっしょに反対側のドアからおりて、できるだけ速く、バージニア州旗を掲げたキャンピングカーのところまで走れ。キャンピングカーの前に円錐形の標識が六つおいてある。ヘリポートを囲むフェンスの向こう側からでもよく見えるはずだ。ぼくはキャンピングカー前においたローンチェアにすわっている。酔っ払ったNASC

ＡＲファンのふりをして。ヘリコプターの後ろの回転翼にまきこまれないようにするんだよ。

幸運を祈る！
トルーパー・トゥルース

トーリーの財宝、発見か？

トルーパー・トゥルース

先日のドクター・シャーマン・フォーの逮捕によって驚くべき事実が明らかになった。その結果、世界中の海洋歴史家、考古学者、財宝ハンターの注目が、現在、タンジール島に集まっている。ちなみに、ドクター・フォーは虚言癖のある歯科医であり、彼には診察を受けないのが賢明だろう。

忠実なる読者諸氏は、有名なトーリーの財宝の噂をなぜこれまで一度も聞かなかったのかと不思議に思われるだろう。それにはきわめて明快な説明を提供することができる。かの悪名高いメイジャー・トレーダーが、州内はもとより他州や他国にも伝えられる公式報道を操作していたのである。つまり、近々実現するチェサピーク湾の沈没船引き上げに伴うトーリーの財宝の発見は、一般市民――とりわけタンジール島民には提供したくなかったのだ。

歴史上もっとも極悪非道なトーリーの略奪者、ジョゼフ・ホイーランド二世が跳梁《ちょうりょう》したのはアメリカ独立戦争中のことだが、彼が一七七六年にその貪欲な蛮行を開始したときは英国旗の下でだった。その後、ホイーランドは小艦隊を率いてあちこちに出没するようになり、チェサピーク湾周辺の土地を荒らしまわって、家畜、奴隷、家具、銀器、宝石など値打ちのあるものをかたっぱしから略奪した。彼の本来の目的は、軍事的勝利や国家に対する忠誠とはほとんど無縁だった。要するに、ホイーランドは海賊の中の海賊となったわけで、冬営地にはタンジール島を選んだ。

このタンジール島からホイーランドに砲艦隊を率いて出帆し、通りかかる船に襲いかかっては、乗組員を殺害し積荷を盗んだ。彼がどれだけ多くの略奪品を蓄えたか、タンジール島およびその周辺で、どれだけ多くの船を沈没させ、また自分の艦隊のスループ帆船を失ったかに関しては、くわしい記録は残っていない。しかし、いまだ見つかっていないトーリーの財宝が、二世紀以上にわたってチェサピーク湾の沈泥のなかに眠っていると断言するに足る根拠がある。

ホイーランドのような命知らずで非情な海賊になると、罪のない商船を襲うばかりでなく、ほかの海賊船を襲って同士討ちをすることもあった。沿岸の大農園から奪った戦利品を積んだ海賊船を見つけると、勝ち目さえあれば襲ったのである。この点で、ホイーランドと彼の手下の海賊は、現代のドラッグの売人となんら変わりはない。ドラッグの売人たちはニューヨークからマイアミに向かう途中でバージニアに立ち寄ると、別の売人から拳銃やヘロインを買って、財布の代わりに拳銃を取り出すことも珍しくない。

つまり、勝ったほうは、戦利品ばかりでなく、支払いの対象となった禁制品やその代金も手にするわけだ。臨時のボーナスには、被害者のポケットから奪った現金やドラッグ以外にも、金のチェーン、ダイヤモンドをちりばめた時計、指輪、輸送手段などが含まれる。

ドラッグの売人は、現代のハイウェイ・パイレーツと同様、要するに陸の海賊である。さて、ここで想像力をたくましくして、現代のドラッグの売人グループが十八世紀にタイムスリップしたところを思い浮かべていただきたい。彼らは気がついたら、タンジール島沖合を航行していた砲艦に乗っていた。そして、彼らが別の船と遭遇したらどうだろう。おそらく、船乗りになった彼らは、かつてのホイーランドのような行動をとることだろう。では、タイムスリップして海賊になるドラッグの売人役をホイーランドに演じさせてみよう。おそらく、こんなことになるのではないか。

さわやかな十月のある晩、ジョゼフ・ホイーランドは愛車の黒のメルセデスに乗り込んだ。スポイラー付きで、窓は紫色の色ガラス、金のマグホイールキャップにフリースのシートカバー、パワーアップしたサウンドシステムを装備し、空気清浄スプレーまでぶらさげている。マリファナでいいご機嫌の彼は、ニューヨークからリッチモンドにやってきた。武装した仲間が車をつらねて付き添っていた。ホイーランドは街では「ホイーリング・ボーン」と呼ばれていた。いつも車《ホイール》に乗っていたし、バスケットもウエイトリフティングにも励まず、ガリガリに痩せていて骨《ボーン》と皮のようで肉体的には迫力がなかったからだ。それでも、ホイーリング・ボーンが被害者やほかの陸の海賊たちにあたえる恐怖は、その外見によって軽減されるわけではなかった。

朝早くリッチモンドに着くと、ホイーリング・ボーンの一行は、連邦政府の補助住宅ギルピン・コートのごみだらけの路上に駐車して、陸の海賊たちからスマックと呼ばれている地元のドラッグの売人のアジトであるアパートに向かった。スマックは窓からホイーリング・ボーンが近づいてくるのを見た。黒いロングコートに黒いナイキ、頭蓋骨と骨をいっぱい描いた黒いスエットスーツ姿の彼を見て、スマックはちょっと不安になった。

「あいつ、どういう気なんだろうな」彼は仲間に言った。「すっげえかっこしてるじゃないか。あの黒いコートの下にウージー軽機関銃隠してるぜ。銃口がちらっと見えたもんな」

「ボタンホールじゃねえのか？」

「やっぱ、用心したほうがいいよ」

「そうだ、用心したほうがいい」スマックは言った。「ドア越しにぶっ飛ばしてやろうぜ」

銃のスライドがいっせいにカチッと鳴ったとき、世にも不思議なことが起こった。ホイーリング・ボーンと仲間がドアを蹴破ろうとすると、突然、ぱちぱちと空気が震え、白い閃光が射して、全員消えてしまった。度肝を抜かれたスマックたちは、一斉に銃をぶっ放した。ドアも電球もビール缶も孔だらけになり、弾がなくなるまで撃ちまくった。やがて、硝煙が消えると、彼らは窓からのぞいたが、通りにはだれもいなかった。

ホイーリング・ボーンと仲間は三次元の世界を通り抜け、五次元の世界を通過して、ローヴァー号という砲艦にふわりと着地した。船には十八世紀のアンティークや宝石、砂金や銀貨の袋が山のように積まれていた。

「ここはどこだ?」ホイーリング・ボーンはチェサピーク湾の穏やかな海を見まわしながら言った。遠くにタンジール島がかすんで見える。「なんだ、この古くさい船、こんなの見たことない。モーターも回転灯もついてねえや」

「見ろよ、この大砲」仲間のひとりが巨大なカノン砲を調べながら叫んだ。「こういうやつ、パトカーにぶっ放してやりてえな」

彼らはその光景を想像して笑いながら、カノン砲や手製の手榴弾や帆の扱い方を研究し始めた。数日、数週間とすぎるうちに、彼らは見境なくほかの船を襲っては、夜な夜なマデイラワインやラム酒で祝杯をあげるようになった。マリファナもクラック・コカインもすぐなくなってしまったし、このあたりの人間はだれもそんなものは持っていなかったからだ。やがてホイーリング・ボーン一味は好んで海賊船を襲うようになり、めぼしいものをぶんどって、乗組員を撃ち殺したり、切り刻んだり、海に投げ込んでカニの餌にしたあと、船に火を放った。

月日が流れ、独立戦争が終結したあとも、ホイーリング・ボーンの勢いと貪欲さは衰えなかった。湾周辺からメリーランド、バージニア沿岸を荒らしまわって、最盛期の黒ひげよりも恐れられた。もっとも、ホイーリング・ボーンがひげを生やしていたとか、ひげに火をつけてみせたとかいう記録は残っていない。彼の手口は、おそらく海賊から海賊へと伝えられた黒ひげの逸話から学んだものだったのだろう。すなわち、油断している商船の舷側に大砲をぶちこんでから、黒ひげ式手榴弾を投げつける。これは角瓶に火薬、小さな弾丸、散弾、鉛片や鉄片を詰めたもので、現在の鉄パイプ爆弾に似ているが、違うところは、手榴弾の場合、火口《ほくち》で点火することで、海賊たちは火をつけるとすぐ、このきわめて殺傷力の高い爆弾を敵の船に投げ込んだのである。それから航行不能となった船に乗り込んで、死者を踏みつけ、負傷者にとどめを刺してから、略奪の限りを尽くした。

ホイーランドあるいはホイーリング・ボーン（読者の好きなほうで呼んでいただきたい）は、十八世紀末には歴史的文献から姿を消し、一八〇六年になると、チェサピーク湾周辺で海賊行為はほとんど見られなくなった。もっとも、そのわずか六年後には一八一二年戦争が勃発して、平和な海と沿岸地域はまたしても一触即発の状態に陥ることになる。実際、チェサピーク湾およびその近くのパタクセント川は、今日に至るまで軍事活動の焦点となっており、そのために筆者が以前に紹介したように、立ち入り禁止区域に指定されていて、タンジール島への航行を困難なものにしている。

ジョン・スミスがジェームズタウンに入植して以来、何隻の幽霊船が略奪品もろとも湾に沈んだかは想像するしかない。遺物の処理を定めた法律では、海賊の財宝が発見された場合、それは発見された地域のものとなると明記されており、したがって、トーリーの財宝はバージニア州のものとなる。もちろん、財宝が積まれていた船が特定できて、それがどこで略奪されたものかが判明すれば、その船の出港地がその権利を主張する可能性もある。その場合は、法廷での長い戦いが予想される。今回のホイーランドの財宝には、ノース・カロライナ州が名乗りをあげるのではないだろうか。しかし、もし個人が先に財宝を発見して、時をおかずに高値で売り払ったとしたら、こうした議論はすべて無に帰する。そして、言うまでもないが、トーリーの財宝の眠っている場所を突き止め、それを引き上げるのにもっとも適した人間は、現在タンジール島に住み、だれよりも湾にくわしい海賊の末裔たちだろう。

この財宝は島の漁師たちのものであり、彼らにあたえるべきだというのが筆者の主張である。タンジール島の経済は停滞している。捕獲できるワタリガニの数には厳しい制限が設けられ、しかもカニの数は年々減少しつつある。州知事も含めたみなさんに切にお願いしたい。タンジール島の西岸およそ一〇・一マイルに位置する黄色いブイを目印につけたカニ捕り籠には近づかないでいただきたい。節度をわきまえ、欲を捨てて、よく考えていただきたい。わたしたちは島の漁師たちのようなつらい、しばしば報いられることのない生活を送ってきただろうか、と。その昔、ジョゼフ・ホイーランドが島に冬営地を定めたとき、だれよりも苦しんだのは彼らの先祖なのだから、この海賊の非情さの償いを受けるのが現在のタンジール島民であるのは当然のことだろう。それはまた詩的正義の完璧な実例となることだろう。

アン・ボニーもホイーランドも、数々の悪行の報いを受けることはなかった。黒ひげも同じだ。滅多斬りにされ、死体の首を舷側に突き刺されたぐらいでは、世界中で海賊たちが受けている刑罰にくらべたら軽いものと言わなければならない。近代になって海賊行為がロマンティックに描かれ、武器を携帯した強盗と同一視されるようになるまで、海賊行為は何世紀にもわたってきわめて深刻に受け止められていたのである。『恐るべき記録・犯罪、判決、摂理、惨事の記録』全二巻の一八二五年版をひもといていただけば、筆者の言わんとするところを衝撃と不快感とともに理解していただけるだろう。

一例として、ロシアの海賊の典型的な運命を紹介しよう。ヴォルガ川周辺はかつて多くの海賊が跋扈《ばっこ》し、商人たちは武装した護衛艦に伴われないかぎり値打ちのある船荷を送ろうとはしなかった。ロシアの海賊たちは、非情さの点ではボニーやホイーランドや黒ひげの足元にもおよばなかったが、結局、生け捕りにされ、兵士たちが山車《だし》を組み立て、その上に巨大な鉄の鉤《かぎ》のついた絞首台を乗せるのを、不安におののきながら見るはめになった。

海賊たちは裸にされて鉤に肋骨を引っ掛けられた。山車はゆっくりと川をくだって、周辺の住人にこの身の毛のよだつ光景を目撃し苦悶の声を聞く機会を提供した。この流れる絞首台の周辺の村や町の住人が、同情の声をあげたり、哀れな囚人に水や酒や銃による慈悲深い死をあたえたりすれば、その「よきサマリア人」も海賊たちと同じようにじわじわと苦痛に満ちた死を迎えることになった。この恐ろしい警告はよく浸透していて、手出しをしようとする人間はひとりもいなかった。それどころか、海賊のひとりが命からがら鉄鉤からのがれ、裸で苦痛と失血に震えながら、貧しい羊飼いの家にたどりついたとき、この羊飼いの無情な応対は、その海賊の頭を石でぶち割ることだった。

おそらく、この羊飼いは自分がした不親切な行為をすぐ村中に触れまわったのだろう。さもなければ、そのことが歴史的記録として残っているはずがない。筆者は私刑を含む暴力的自警行為や死刑囚に対する拷問を認めているのではない。また、海賊行為に対するロシア人の刑罰を容認しているわけでもない。筆者が言いたいのは、ボニーや黒ひげやホイーランドをはじめとする残忍な海賊たちが、ロシアで捕らえられなくて幸運だったということである。
ホイーランドの手榴弾の鉄片から、沈没船の少なくとも一隻にたどりつく可能性は大であり、先述した黄色いブイの近くの海底に何世紀ものあいだ眠っていた謎と財宝が日の目を見るのもけっして夢ではないだろう。海洋歴史家のなかにはトーリーの財宝の存在を否定する人々もいるが、読者諸氏やクリム知事に思い出していただきたいのは、ホイーランドもしくは「ホイーリング・ボーン」は自分が襲った船や大農園を列記した一覧表を遺したわけではないということだ。どの船が沈んだか、彼の船は沈まなかったのか、そこになにが乗っていたのか、だれにもわからないのである。

街ではご用心を！

29

ポッサムはこのトルーパー・トゥルースの新しいコラムが出たことに気づかなかった。あれから一時間とたたないうちにスモークたちが戻ってきたからだ。

「こんなときに、あんたがいてくれたらなあ」ポッサムは心のなかでホスに呼びかけた。「これまでずっと正しいことやってきたとはいわないけど、今度はそうしようと思うんだ。リトル・ジョーとミスター・カートライトと、それから、もしまだ出てたら、アダムにも伝えといてください。ねえ、ホス、聞いてる? 仲間を集めてレース場に来て。ぼく、こわいんだ、こんなにこわいと思ったの生まれて初めてだよ。なんかよくわからないけど、いやな予感がする。トルーパー・トゥルースが思ってるようにはならないんじゃないかって。

それに、ポパイとも別れたくない。あったかくて生きてるもので、信用できるのはこの子だけだ。ホス、考えてみてよ、かわいがってた馬を手放すことになったり、無法者に待ち伏せされて馬を撃たれたりしたら、どんな気持ちか。そりゃあ、ポパイはぼくの犬じゃないから、こんなとこに閉じ込めとくのはよくないってわかってるよ。正しいことをしなきゃいけないって。でも、ひとりじゃだめなんだよ、ホス」

「よく聞くんだ、小さい兄弟」ホスが愛馬の上から言った。「無法者は無法者だ、それが馬泥棒でも、トラック泥棒でも。おまえは正しいことをしなきゃいかん。おれも親父もリトル・ジョーも、おまえに怒っちゃいないから、安心しな。おれたちが心底怒ってるのは、スモークと銃をふりまわすあいつの手下どもだ。あいつら全員、長いロープで吊るしてやりゃいい。勇気を出して、トルーパー・トゥルースが言ったとおりにしろ。こわがらなくていい、おれたちがついてる」

ホスが心のなかから消えていくと、ポッサムはジョリー・グッドレンチの旗で涙を拭いてベッドに起きあがった。そのとき初めて、トルーパー・トゥルースのサイトがコンピュータのスクリーンに現れているのに気づいた。木箱のところに行くと、最新のコラムをクリックして熱心に読んだ。よくわからなかったが、トルーパー・トゥルースがなにを考えているか想像しようとした。それから、深呼吸すると、ポパイにいい子でおとなしくしてるんだよと言い聞かせてから、いきおいよく部屋を飛び出して、スモークの部屋のドアを叩いた。

「おい、スモーク」ポッサムは叫んだ。「ちょっと見てくれよ。信じられねえぜ」

スモークはベッドの上であぐらをかいて、皮下注射器に溶剤と殺鼠剤《さっそざい》を入れているところだった。さっき、NASCARカラーの服を仕入れにウォルマートに行ったとき、金物売り場でくすねてきたのだ。

「なんだよ、うるせえな」スモークはどなった。ビールとクラック・コカインでハイになっていたうえ、またコンビニエンス・ストアを襲ったのに、レジの引き出しに八十二ドルぽっちしかなくて頭にきていた。「キャットはどうした？　あいつ、どこをほっついてんだ？」スモークはまたどなりながら、皮下注射器の先にオレンジ色のキャップをかぶせた。

ポッサムはドアを細く開けて、のぞき込んだ。胸がどきどきした。

「邪魔する気はないんだけど、スモーク。トルーパー・トゥルースのウェブに見てもらいたいものがあるんだ」ポッサムはおどおどと小さな声で言った。「すっげえ宝物があるんだってさ。すぐなんとかしたら手に入るかも。その注射器、どうするんだい？」

スモークはベッドの上に跳ね起きた。びっしり刺青した裸の胸に汗が玉になって光っている。目はとろんとしていた。ふだんのスモークよりひどいものがあるとしたら、それはハイになって、あとは寝るしかどうしようもないというときのスモークだ。

「ポパイをやるんだよ」残酷な笑い声を立てながら、彼はポパイに注射するジェスチャーをしてみせた。

「あんな犬のこと、ほっとけよ」ポッサムは悪ぶって言ったが、最近ではけっこうさまになってきた。

「おれに命令する気か、うすのろのくせして」スモークはポパイの代わりにおまえをやってやるというように注射器をポッサムに向けた。「見てな、あいつらにちゃんと償いをさせてやるからな。あのハマーの野郎と間抜けづらの相棒のブラジルが、ピットにこのばか犬を助けにきたら、この注射器でポパイに殺鼠剤をぶすっとやってやる。痙攣《けいれん》起こして、もがき苦しんでる犬を助けようと、あいつらが必死になってるとこを、頭を吹っ飛ばして、ヘリコプターでずらかるってわけさ」

口にするのもおぞましいシナリオだったが、ポッサムはじっと我慢して、反応を示さなかった。事実、半分眠ったような顔をして、トーリーの財宝をだれよりも先に見つけることしか考えていないように見えた。

「おれたちが島に飛んだとき先に漁師が見つけてたら」ポッサムは言った。「船が戻ってくるの待ち伏せして、頭を吹っ飛ばして、海に捨てて、横取りすりゃいいよ。キャットが先に行って、全部やっとくってさ。だから、あいつこっちに来れないけど、代わりにインストラクターやってたパイロットが来るから。なにもかもばっちりだよ、スモーク」ポッサムは得意気に言った。

レジャイナはなにもかもばっちりとはおよそ縁遠い気分で、朝も遅くなってから朝食用の食堂に向かった。ゆうべまた、いつものタイヤの夢に悩まされたが、やっと現実を直視する心がまえができてきた。やっぱりアンディの言うとおりなのだろう。このままでは、ますます世間から取り残されてしまう。そして、彼女は醜く太った、性格の悪い女なのだ。生まれて初めて、レジャイナは胸がうずくのを感じた。これまでの自分が恥ずかしくて、いたたまれない気持ちになった。

「おはようございます。いいお日和《ひより》で」ポニーが、むっつりした顔で椅子を引いてすわったレジャイナにあいさつした。

「ほんとにそう思ってるの？　それとも、希望的観測？　じゃなかったら、ただ意味もなく言ってるわけ？」レジャイナはポニーがテーブルに置こうとしている湯気を立てた料理を見ながら言った。

「わたしにはいい日ですよ」ポニーは明るい声で答えた。「もうじき自由の身になれるんですから、ミス・レジーナ。ただ、無念なのは……」彼はスクランブルエッグとリンクソーセージをバージニア州の金の紋章が輝いている皿に取り分けた。「本来より三年も長く刑務所にいたとわかったんです、ミスター・トレーダーのせいで。わたしを出したくないから手をまわしたみたいです」

レジャイナは皿の上の食べ物を見ても空腹を感じないことに気づいて、自分でもびっくりした。おなかがすいていなかったときなんか、覚えているかぎりでは一度もなかった。この前、トレーダーの毒入りのチョコチップクッキーを食べて病院に担《かつ》ぎ込まれたときは別だが、あの食欲不振は一時的なものだったし、医学的な根拠もあって、いまの状態とは比較にならない。

「おや、召し上がらないんですか？　ミス・レジーナ」ポニーは心配した。ぱりっと糊のきいた白い上着の腕にリネンのナプキンをかけて、テーブルの向こう側に控えている。

「もともと刑務所に入るような人じゃないのにね」レジャイナはこれが自分の口から出た言葉だとは信じられなかった。「あんたが悪いことしたの見たことないし、あんたのことこわいと思ったことないもの」

「いや、これは恐縮ですな、ミス・レジーナ」ポニーはにっこりしたが、少々とまどっていた。レジャイナが彼のことを気にかけてくれたことなど一度もなかったからだ。そもそも、彼にも人並の生活があると気づいていたのかどうか。「ありがたいことです。わたしもトリップのことではお役に立てるかもしれませんです。あの馬は短い言葉ならわかるようですな。いろいろ話しかけると、頭が混乱するみたいです」

　レジャイナは少し元気が出てきた。

「命令の言葉をリストにしておいたら、今夜レース場でお役に立つんじゃないでしょうか」ポニーは申し出た。「調教師が置いていったメモを読みましたが、あの馬はずいぶんあちこちに行ってますよ。おしめさえ当てておけば、リムジンにでもヘリコプターにでも乗せられます。家内が下の洗濯室で、いま毛布にバージニア州の紋章をつけてますよ、ハーネスの下にかけられるように」

レジャイナはだんだん明るい気持ちになってきた。長いあいだ彼女の人生に停滞していた憂鬱や怒りの重苦しい不満の雲が、突然、切れて流れ始めた。相手に思いやりを示すようにアンディに言われたのを思い出して、なにかやさしい言葉をかけようと、頭のなかで何度かリハーサルした。ポニーは彼女のそんな変化には気づかず、トリップは躾《しつけ》ができているとか、テニスシューズの履かせ方とか、仕事がないときは甘えるのが好きだとか言っていた。

「お父さまが刑期のこと調べてくれてよかったわね」レジャイナは何度も頭のなかで繰り返したせりふを口にした。「でも、これからもここで働いてもらえたら、とてもうれしいわ」

ポニーはびっくりして、レジャイナが熱でも出したのかと思った。そういえば、けさは顔色もよくないし、食べ物に手をつけようともしない。だいたい、こんなことを言うなんて彼女らしくないではないか。

「命令の言葉をリストにしておいてくれたら助かるわ」レジャイナはそう言って、またポニーをめんくらわせた。「お父さまはレース場でトリップの助けが必要だろうし、あたしもわかる限りのことは知っておきたいから。盲導馬が来てくれてよかった。これで、お父さまもいつも拡大鏡ばっかりのぞいてなくてすむでしょうね」

レジャイナは立ち上がると、ナプキンをきちんとたたんだ。ポニーはなにかの魔法で彼女が別人になったのではないかと思って、しげしげと見つめた。

「かしこまりました、ミス・レジーナ」ポニーは言った。「リストを作って、ほかにも二、三気のついたことを書いておきましょう」

「ありがとう、ポニー」レジャイナはそう言うと、階段をのぼって両親の主寝室に向かった。

知事夫人は装飾をほどこした中国製の机の前にすわって、インターネットでなにか調べていた。夢中になって、画面をスクロールしている。

「お父さまは？」レジャイナはそう言うと、椅子を引き寄せて、なににこんなに夢中になっているのだろうと画面をのぞいた。

「お庭じゃないかしら、ポニーといっしょに」ミセス・クリムは下向きの矢印をクリックしながら答えた。

「トリップのことをポニーと呼ばないほうがいいわ」レジャイナはいつになく思慮深い口調で言った。「小型種の馬だけどポニーじゃないし、馬のことも執事のこともポニー、ポニーと呼ぶと、ポニーが勘違いするし、気を悪くするんじゃないかしら」

知事夫人はレジャイナに当惑した顔を向けた。「そうね、あなたの言うとおりだわ。けさはずいぶん気分がいいみたいね。あなたがこんなふうになるなんて。具合でも悪いの？」

「どこも悪くないと思うけど」レジャイナは母親の肩越しに画面を眺めた。トルーパー・トゥルースの最新のコラムのようだ。「またあのタイヤの夢を見たのよ。それで、アンディがモルグに行く途中で言ったことを思い出したの。そしたら、モルグのことを思い出して、もしメイジャー・トレーダーがお父さまに食べさせようとしたクッキーをもっと食べてたら、あたしもあそこで人生を終えてたかもしれないって。すると、急にちょっぴり希望が湧いてきたの。これまで希望なんかないって思ってたけど」

「もちろん、希望はありますとも」ミセス・クリムはうわの空で答えた。タンジール島の漁師たちがほんとうにトーリーの財宝を見つけたら、そのなかには大農園から略奪してきたポットスタンドもあるんじゃないかしら。海賊がポットスタンドを使うとは思えないけれど、手元には置いておくんじゃないかしら。海賊だって料理はするわけだから、ガレー船の木の表面が焼けないように、熱い鍋を置くときはポットスタンドを使ったとしても少しも不思議ではない。

「ポットスタンドは何百年も海底に沈んでいても錆びないものかしらね?」思わず声に出して言いながら、彼女は長い金のチェーンにぶらさげたアンティークのメタルフレームの眼鏡越しに画面を眺めた。「読んでごらんなさい。おもしろいわよ。古い鉄のかけらからトーリーの財宝が発見されそうなんですって。その鉄のかけらが何百年も海に沈んでいて錆びてないなら、きっとポットスタンドだってだいじょうぶよ。たいてい鉄でできているもの。でも、お父さまはなんておっしゃるかしらね、これを読んであげたら。バージニア州こそ、その財宝の正当な所有者だとおっしゃるでしょうね、きっと。ホイーリング・ボーンがだれから盗んだかなんて関係ないわ。なんの権利があってノース・カロライナ州がチェサピーク湾で見つかったものを横から持っていかなくちゃならないの？　大事なのはその宝物がこのバージニア州で発見されたことで、それなら当然、バージニア州のものになるべきよ。だから当然、ポットスタンドが出てきたら、官邸に寄付されるべきだわ」

　レジャイナは立ち上がって、母が読んでいるものをくわしく読んだ。レジャイナはもともと「拾ったものは拾った人のもの」に賛成だったが、この場合はそれでいいのだろうかと思った。もし島の人たちが宝を見つけて好きなようにしたら、世界中のそれ以外の人びとはバージニア博物館で古い大砲や金貨や宝石を見る楽しみを奪われることになる。

「ああいう古い大砲や宝石はみんなのものにしなくちゃ」レジャイナがそう言ったとき、廊下にスニーカーの足音がして、すぐあとからスリッパの足音が続いた。

「なんだって？」知事がレジャイナとミセス・クリムの話の最後のところだけを聞きつけて、お得意の質問をした。「いいから、そのまま進みなさい」トリップに言ったが、馬はそう言われなくてもさっさと部屋に入っていった。

「お父さま、トリップには短い言葉を使ったほうがいいみたいよ」レジャイナが忠告した。

「そうか《オーケー》」知事は言った。オーケーと言われて、トリップはいかなる命令からも解放されたと思い込んで、知事夫人の黒い漆塗りの螺鈿《らでん》の机のそばで立ち止まった。「止まれとは言わなかったが、そうさせたいと思っていたところだ」知事は馬に近づいて、やわらかい鼻面を撫でながら言った。「この馬は思ったよりずっとたくさんのことが理解できるようだな、レジャイナ」

「そうね。でも、トリップが理解してることと、お父さまが理解させたがっていることとは別かもしれない」

「そうだな。それで、なんだって？　古い大砲や宝石がどうした？」知事は部屋着のポケットに手を入れて拡大鏡を探した。いくらこの盲導馬が役に立つといっても、読む手伝いまではできなかったからだ。

レジャイナはトルーパー・トゥルースのコラムを簡単に説明して、もう一度、財宝は見つけた人たちが独り占めしないで、一般大衆と分かち合うべきだと主張した。

「その一部が官邸に納められるなら」知事夫人が即座に賛成した。

「大砲を一門か二門、庭園か正面玄関においてもいいな」知事は言った。宿敵のノース・カロライナ州の名を出されて、急に闘志が湧いたようだった。「ホイーランドがどれだけひどい海賊だろうと、バージニア州の歴史の一部に変わりはない。漁師たちが先に財宝を見つけて、古物商や、ましてやノース・カロライナに売ることは断じて許さん」

「そのとおりですわ、ベッドフォード」ミセス・クリムが言った。「いますぐ手を打つべきだわ、手遅れにならないうちに。航空母艦かなにか送って、タンジール島の人たちがなにもかも引き上げないようにできませんの？　あの人たちに権利はないんだから」

「そのとおりだわ」レジャイナも言った。彼女がトルーパー・トゥルースの意見に反対したのはこれが初めてだった。「でも、変ね。トルーパー・トゥルースはどっちの味方かしら？これまではずっと真実と正義の擁護者だったのに」

「もしかしたら、タンジール島民と共謀して、彼らに財宝を渡すようわたしに圧力をかけるつもりかもしれんな」知事が言った。トレーダーに妙な考えを吹き込まれなくなり、トレーダーの差し入れのチョコレートを食べなくなってから、知事は以前よりずっと物事が見えるようになったのだ。「すぐにプレスリリースを出して、宝探しのハンターたちに黄色いブイのついたカニ捕り籠に近寄らないように警告しよう」知事は宣言した。「島の漁師たちにやらせてみるか。沈没船に近づいて、連中になにができるか」知事はトリップの首を軽く叩いた。「ロード・アップ、ライト、トリップ」

トリップは飼い主のそばから離れて、エレベーターに向かってから、右に曲がった。

「そのとおりよ《ライト》、お父さま」レジャイナは父が急に決断力とパワーを示したことがうれしかった。トリップはもう一度右に曲がって、チッペンデール風の金めっきの鏡の前で立ち止まった。

「どのぐらい下《ダウン》にあるのかしら？」知事夫人は女王にふさわしい金や銀や宝石が詰まったチエストを思い浮かべながら言った。

「ダウン？」レジャイナが聞き返した。「なにが下にあるの？」トリップは鏡の前で伏せをすると、不思議そうに鏡に映った自分の姿を眺めていた。

「トルーパー・トゥルースのプロパガンダから推察するに」知事が言った。「財宝はかなり深いところに沈んでいるようだな、カニの禁漁区にあるということだから。わたしの記憶が正しければ、あのあたりは海溝のはずだ」

「それはなによりだわ」知事夫人は胸をなでおろした。「深ければ深いほどいい。引き上げるのがそれだけ大変ですもの。タンジール島の人たちが大きな大砲を引き上げられるような道具を持っているとは思えないわ。小さな釣り船を沈めるのがおちよ」

一時間とたたないうちに、トーリーの財宝のニュースは、けたたましく電送され、テレビやラジオでバージニア州だけでなく全米に、とりわけ矢面に立たされたノース・カロライナ州に鳴り物入りで報道された。ニュースキャスターたちはタンジール島民が逆上して爆発寸前になっていると伝えた。州知事が黄色いブイをつけたカニ捕り籠の周囲五マイル以内に近づいた漁師は沿岸警備隊に逮捕されると発表したからだ。その後、沿岸警備隊が続々とその海域に結集し、宝探しのハンターたちの船がその海域に入らないよう警戒しているという。バージニア州沿岸からタンジール島までの空域は飛行禁止区域に指定され、特別に許可された航空機以外は飛べなくなった。さらに、海軍の軍艦が島を封鎖する態勢をととのえつつあるとのことだった。

フォニーボーイとドクター・フォーは、カーラジオでこのニュースを聞いた。保釈金を積んで出所し、一刻も早くリッチモンドを離れようとしているところだった。ドクター・フォーは大急ぎでリードヴィルに戻って郵便船をつかまえることにした。船長を買収して、フォニーボーイが海に投げたカニ捕り籠を探しに行くのだ。

「沿岸警備隊も郵便船なら疑わないからな」歯医者は言った。フォニーボーイは険しい表情で車の窓からどんどん後ろに飛んでいく電柱を眺めていた。

「ひどいよ。あんまりじゃないか。あれはおれのもんだ」フォニーボーイは一分おきにそう繰り返していた。

「二人で山分けしよう」ドクター・フォーは持ちかけた。「保釈金はわたしが出した。郵便船の船長にいくら払うことになるか知れんが、それもわたし持ちだ。潜水服も必要になるが、あれは高いんだぞ。郵便船が着く波止場の近くの釣り道具屋で買えるだろうが、急がんとな。それから、頼むから、面倒を起こさないでくれよ、フォニーボーイ。リッチモンドを離れたことが警察にばれたら、保釈中失踪で再逮捕されて、重い罪を負わされるぞ」

「あいつらになんもできっこないよ」フォニーボーイは言ったが、これは島特有の表現で、宝探ししていてつかまったら、今度こそ大変なことになるだろうという意味だった。

「まあ、郵便船がつかまっても、なんとでもなるからな」ドクター・フォーは言った。「われわれの船じゃないんだから。追及されたら船長のせいにして、われわれは手紙と歯科診療の請求書を島に届けに行くつもりだったのに、気がついたら船が財宝のあるところに向かっていたと言えばいい」

「だめだよ!」フォニーボーイは興奮した声でタンジール島風に賛意を表した。

メイジャー・トレーダーと同房者たちもこのニュースを聞いた。看守のひとりがいつも携帯ラジオをがんがん鳴り響かせながら通るので、歌でもコマーシャルでもニュースでも、なんでも聞けたのだ。

「みんな、よく聞け」トレーダーは言った。「わたしをトイレで溺死させようなんてくだらないことを考えていないで、この際団結しようじゃないか。ここから出ることさえできたら、あの宝はわたしたちのものだ」

「まじかよ?」スリム・ジムがうさんくさそうに聞いた。「もしここから出られたとしても、どうやってそのカニ捕り籠探して、海の底にある宝を引き上げるんだ?」

「おれ、泳げないし」スニッチが言った。

「おれも泳げねえんだ」スティックが打ち明けた。

「泳ぐ必要なんかない。ばかなやつらだな」トレーダーがいらいらしながら答えた。

彼はいつのまにかあのメキシコ人の少年とベッドを交換していた。というのも、もしトレーダーに得意なことがあるとすれば、それは状況判断だったからだ。彼の作戦はいたって簡単だった。　相手に友情や共感を示したければ、快適な環境で、相手とのあいだに低いコーヒーテーブルをはさんですわるのがいちばんだ。威圧するのが目的なら、デスクの後ろにすわればいい。デスクが相手に対するかっこうの防壁となる。相手を混乱させて自信を喪失させるのが目的なら——これは彼が知事に好んで使ってきた作戦だが——下剤を一服盛っておいて、大切な話は廊下を歩いているときや車で移動しているときに持ち出す。

メキシコ人の少年が使っていたベッドは——朝の光のなかで見て、スチール製だとわかったが——監房の中央にあった。少年がトイレを使っているあいだにちゃっかり入れ替わることによって、トレーダーは望みどおりのリーダーシップを掌握した。その結果、同房者たちはなにがなんだかよくわからないうちに、突然、彼に多少なりとも敬意を払うようになったのだ。猛烈な腹痛の威力は知り尽くしていたから、トレーダーは看守が監房の前をとおりすぎたとき、タイミングをみはからってジャスティス牧師が二つ折りになって苦しむことにしようと提案した。苦悶に身をよじらせながら悲鳴をあげる牧師のまわりに同房者が駆け寄って、血相を変えて助けを求めながら、早くいい空気を吸わせてやれと叫ぶ。

「看守はあわてて飛び込んでくる」トレーダーは説明した。「入ってきたら、おまえ」と、彼はスティックに言った。「目を突き刺してやれ。それから、おまえ」と、キャットに言った。「無線機を奪え。おまえは」と、スリム・ジムに言った。「鍵を奪って、ドアを全部開けろ。そして、おまえは」と、メキシコ人の少年を指さした。「ポケットに手を入れて、銃を取り出すふりをしながら、撃つぞとどなるんだ。ここの連中はだれもスペイン語がわからないからな。おまえは」と、スニッチにうなずいてみせた。「ここに残って、あとで聞かれたら、この脱走は仕組まれたもので、逃走用の車を手配してシャーロットに行くと言ってるのを聞いたというんだ」

「逃走用の車なんかないじゃないか」スティックが言い返した。どっちにしても、だれかの目を突き刺すのなんかいやだった。

「そこであんたの出番だ」トレーダーはジャスティス牧師に言った。「看守たちはあんただけには敬意を払っている。信仰のことを相談したり、悩みを打ち明けたりしているぐらいだからな。だから、教区民が死にかけているから、電話で最後の秘蹟を行ないたいと頼めば、きっと公衆電話を使わせてくれるだろう」

「バプティストはカトリックと違って最後の秘蹟は行なわない」牧師は言った。「それに、わたしはまだ加担すると決めたわけではないぞ。それでなくても、あのクロットの老嬢に声をかけたりして、世間の信用をなくしたんだ」

急に、みんな黙り込んだ。例の看守がラジオからラップ・ミュージックを鳴り響かせながらやってきたからだ。看守はうっとりした顔で、ハミングしながら指を鳴らしていた。

「電話を使わせてくれたら」看守が通りすぎると、トレーダーが話を再開した。「だれか、あまり頭のまわらない気のいい人間に電話して、車で迎えに来てほしいと頼むんだ。連れが数人いると言え。こんな街とはおさらばだ。よもやそんなことはないとは思うが、万が一逮捕されたときは、あんたは拉致されただけで、この計画とは無関係だとわたしから説明する」

牧師はそれでもまだ迷っていたが、トレーダーが強引に説得した。だれがなんと言おうが、ポンティウス・ジャスティス牧師は地元の名士で、これまでずっと人びとの魂の救済と犯罪防止に人生を捧げてきた。たまに鬱積《うっせき》した肉の要求を満たすために夜の女を買ったときにも、いつも適正料金を払い、感謝を示してきたではないか。

アンディはまだハマーから感謝を示されたことがなかった。彼女の関心は署長室のカーペットを踏み荒らすことと文句をつけることにしかないような気がして、アンディはいくぶんいらだっていた。

「どうしてわたしに相談しなかったの？」ハマーはドアを閉めたオフィスでさっきから繰り返していた。もっとも、土曜日の午前中の本署にはほとんど人がいなかった。「いったいなにを考えてるの？　トーリーの財宝なんて子どもだましみたいなことを書いて。おかげでどんな騒ぎになったと思う？　あれは島民のものだと書いたりするから、知事は警告を出して軍隊まで出動させた。これでは、かえって反乱を起こさせるようなものじゃないの。それに、正直なところ、わたしも知事に賛成よ。島民にはなんの権利もないんだから。あれは博物館におさめるべきものよ」

「それをさっきから説明しようとしてるんですよ」アンディはやっと口を開くことができた。「ぼくはただ島民の注意をそちらに向けさせたかっただけです。それに、タンジール島民を怒らせるには、こちらも本気でかからないと。そうなったら、今夜マコヴィッチが州警察のヘリコプターでNASCARのクルーに変装したスモーク一味を島に運んだとき、どんな歓迎を受けるか予想できるでしょう。私服の州警察官なんて必要ないぐらいだ」

「あなたの言ってることは支離滅裂よ。わたしを脅す気？」ハマーは言った。「そもそも、トルーパー・トゥルースは真実を語るのが目的じゃなかった？　最近のコラムを読むかぎりでは、世論を操作することしか頭にないみたい。たとえ、それが正しい目的のためだとしても。それに、あなたにとっては正当な目的だとしても……もう、なにがなんだかわからなくなってきたわ」

「気持ちはわかりますよ」アンディは慰めた。「だいじょうぶ。自分のしていることはわかっています。スモークがどんなやつか知っているでしょう。ヘリコプターが島に着いて、漁師に変装した警察官に気づいたら、滑走路におりるかおりないかのうちに発砲するでしょう。不意をつく必要があるんです。スモークがなにもできないうちに取り押さえる必要が」

「予定どおり州警察官を出動させるわ」ハマーは決断した。「知事にはレース場から車で戻ってもらいましょう。わたしたちはヘリコプターでタンジール島に飛ぶことにして。ちなみに、トーリーの財宝なんてどこから思いついたの？」

「必ずしも信じてるわけじゃありませんが」アンディは答えた。「だが、あの鉄片がなんらかの戦闘、おそらくは海賊がらみの戦闘の名残なのは明らかでしょう。それに、あの裏切り者の英国支持者《トーリー》のジョゼフ・ホイーランドが沿岸の大農園やほかの海賊船からさんざん略奪を働いていたのも確かだ。だったら、その財宝はどこにいったんでしょう？」

バービー・フォッグは大農園に行ったことはなかったが、正午に州知事官邸の正門の前に車をとめたときには、かつての大農園がどんなものだったか想像がつくような気がした。そのとき、奇妙な光景に気づいた。

屈強なEPUの州警察官が二人、大きな黒いリムジンの後部の床にせっせと木屑を撒《ま》いている。バービーは門から車を入れて、円形のドライブウェイにとめた。イメージチェンジ用の一式を入れた工具箱を持って車をおりると、トランクから服の入った袋を取り出した。

「なにをしてるんですか？」バービーは州警察官に聞いた。「わたしには関係ないけれど、こんな立派なリムジンの床にどうして木屑なんか撒くの？　お花でも植えるの？　それならいいアイデアかもしれない。知事はお庭ごと移動できるわけだもの」

州警察官がにこりともせずにそれは極秘情報だと言ったとき、官邸の正面玄関が開いて、ぴんとプレスした白い上着を着た黒人の執事がにこやかにバービーを出迎えた。

「どうぞ、お入りください」彼は愛想よく言った。「ミス・レジーナがお待ちでございます。コートをお預かりします。工具箱をお持ちしましょうか」

「ありがとう」コートをぬぐと、ぴっちりしたセクシーな革のドレスが現れたが、バービーのきゃしゃな体つきや穏やかな声とはあまりそぐわなかった。「この工具箱と袋は全部、レジャイナをすてきにするためのものなの」

ポニーはレジャイナの容姿には改善すべきところがたくさんあるとは思っていたが、工具箱まで使わなければならないのかと思うと、ちょっと悲しい気がした。螺旋階段をのぼって、知事一家の居住区にバービーを案内したが、レジャイナは寝室のクローゼットをかきまわして、オーバーオールやスエットシャツを引っ張り出しながら途方に暮れていた。

「いいところに来てくれたわ」バービーが部屋に入って工具箱と紙袋をベッドにおくと、レジャイナはほっとした顔になった。「着ていくものがないの。それに、さっき鏡を見たら自分でもぞっとしちゃって。ほんとにレースに行くまでに、あたしをきれいにできる?」

「まかせておいて」バービーはそう言うと、窓の外を見た。州警察官たちはまだリムジンに木屑を撒いている。

「あれはトリップのお出かけ《トリップ》用よ」レジャイナが説明した。

「トリップ?」バービーはきょとんとした。「なに? トリップ・トリップって?」

「トリップのトリップよ、トリップ・トリップじゃなくて」レジャイナは言った。「トリップはお父さまの新しい小型種の馬で、目の見えない人を誘導する訓練を受けてるの。お父さまはどこにでもトリップを連れていくから、あたしがいろいろ調べて、ああいう馬は車に木屑を敷いてやったほうが落ち着けるとわかったわけ」

理解できたかとバービーの反応を待ったが、あいかわらずきょとんとしている。

「厩《うまや》みたいにするわけ」レジャイナは言った。「敷き藁《わら》が敷いてあるでしょ」

「まあ」バービーはびっくりした。「わたしはてっきりお花を植えて、動くお庭にするんだと思ってたわ。でも、馬をリムジンに乗せてだいじょうぶなの？　木屑を敷いたとしても、馬がトイレに行きたくなったらどうするの？　いっしょに乗ってる人がいやな思いをするんじゃないかしら」

「馬のうんちは犬ほど臭くないから」レジャイナは言った。「それに、木屑をかぶせてしまえばわからないわ」

「でも、レース場でボックス席に入ってからは？」バービーはそう言うと、工具箱を開けて中身を取り出した。ファンデーションの壜、しみ隠しのカバーアップ、マニキュア、ヘアートリートメント、ヘアカラー、そのほかこまごました化粧品の壜を山のようにクルミ材のアンティークの脚つきタンスの上に並べた。

「外に出たくなったらドアを引っかいて知らせるから」レジャイナは言った。「そしたら、エレベーターに乗せて、どこか草むらに連れていくわ。そのハサミ、どうするの？　あたしの髪をカットするの？」

バービーはレジャイナをシェーカー教徒がつくったシンプルなデザインのロッキングチェアにすわらせると、しばらくじっとしているように言った。そして、この彼女のまわりを一周して全体の雰囲気を確かめると、まず縮れた黒髪の枝毛をカットすることに決めた。

「歯を見せて」バービーは言った。

レジャイナが口を開け、唇をゆがめると、黄ばんだ歯が現れた。小馬の歯みたいだとバービーは思った。

「歯を白くするブリーチを持ってきたわ」できるだけ明るい声で言った。「ブリーチをつけておいて、浸透させるあいだにほかをやりましょう。髪だけど、色がはっきりしないわね。まだらっていうか、茶と黒がぶちになってて。黒に染めて、耳の下でカットしたらどうかしら。もちろん、段をつけて。鼻や顎がやさしい感じになるわ。

肌を小麦色にする化粧品も持ってきたから、つけるといいわ。『死海ソーク』っていう塩の入ったスクラブで肌を磨いて、マニキュアとペディキュアをして、泥パックしたあとでね。肌に有害な太陽光線なんか浴びなくても、輝くような小麦色の肌になれるのよ。すてきだと思わない？」

レジャイナはどう答えていいかわからなかった。まだそれほど親しくないバービーの前で裸になって、豊満すぎる体を塩でこすられたり、ローションをすり込まれたりするとは思ってもいなかった。

「あなたの気持ちはよくわかるわ」バービーはレジャイナの首にタオルをかけて、もじゃもじゃの黒い髪を切りながら、ときどきレニーと見る古い西部劇に出てきた球状になって風で転がるタンブルウィードを思い出した。「この前のカウンセリングでわかったけど、あなたの自己イメージはとても低いもので、自分の体を憎んでいるから、裸になったり体中をこすられたりするのは嫌かもしれない。でも、その成果を見たら、きっと満足するわ」

「いくらこすったって脂肪は落とせないわ」レジャイナは言った。またどさっと髪が床に落ちた。こういう状況でなかったら、全身美容も嫌ではなかったかもしれない。

だが、バービー・フォッグはレジャイナの好きなタイプではなかった。はっきり言って、正反対のタイプだ。体つきがきゃしゃすぎるし、一日中ほかの女性の体に触れたり、こねくりまわしたりしていても、刺激を受けるようなタイプではないらしい。そもそも、だれかに肉体的に惹《ひ》かれるということがあるのだろうかと思いたくなるほどで、その点ではレジャイナの母親に似ていた。レジャイナが覚えているかぎりでは、ミセス・クリムはいつも鋳鉄《ちゅうてつ》の貯金箱だの、コーヒーや煙草の缶だの、ポットスタンドだののコレクションに夢中で、異性にも同性にも性的な関心がないようだった。

「ダイエットも今夜から始めましょうね」バービーは髪を切りながら言った。「レース場に行っても、ビュッフェテーブルに近づいちゃだめよ。どうしてもおなかがすいたら、サラダとかセロリやニンジンやラディッシュを食べること。でも、あんまり悲観的にならないで。『衣服は女性の最大の味方』というでしょ。ここに来る途中で、しゃれたブティックに寄って、あなたにぴったりの服を見つけてきてあげたわ」

「服?」レジャイナは見るのが恐ろしかった。バービーはそんな彼女にはおかまいなしに剃《かみ》刀《そり》で髪に段をつけ始めた。

「すごくかわいいの。女ならだれだって欲しくなるような服よ。ぴんときたわ。着ていて快適で、あなたの顔やスタイルや性格にしっくりくる服が。そうしたら、このぴったりのデニムの服を見つけたの。あんまり注文どおりで信じられないぐらいだった。お願い、椅子を揺らさないで。このロッキングチェア、とてもすてきね。でも、剃刀で怪我させたくないから。うなじを剃《そ》りおわったら、口のまわりと顎の無駄毛を剃って、眉ともみあげも整えたほうがいいわね。

そうそう、さっきの話だけど、ストーンウォッシュのオーバーオールなんだけど、ズボンじゃなくてキュートなスカートになってるの。下には長袖のシルクのシャツを合わせる。デザインは作業シャツ風だけど、レースの襟《えり》がついていて、胸が大きく開いてるからバストが強調されるわ。プッシュアップ・ブラで引き上げてね。サイズがわからなかったんだけど、44のDカップでよかったかしら?」

「ふだんはブラはつけないの」レジャイナはばっさり切られた前髪を見上げながら言った。「窮屈だから。たいていアンダーシャツも着ない。あたしがスエットシャツの下になに着てるかなんて見る人なんかいないし」

「あら、今夜はきっとみんながあなたを見るわ」バービーは元気よく言った。「みんなの目が、あなたの胸の谷間に釘付けになるはずよ。それから、靴だけど――どんな服を着ても靴がきまらないとだいなしよ――真っ赤なエナメルのハイトップのテニスシューズを探してきた。足首のところにコンバースのラベルがついていて、なんとスパンコールと白いレザーレースでできてるの。デザイナー・ソックスの上から履くんだけど、ソックスは昔風のチューブソックス風でシルクなの。靴のサイズは12でよかった？　服はいつも16号を着てる？」

「男物の？　それとも女物？」レジャイナは体を動かさないようにして聞いた。バービーが剃刀でうなじを剃っていたからだ。「たいてい男物を着てるから、女物のサイズはわからない」

「心配しないで。あたし、人のサイズを当てるの得意だから」バービーは一歩しりぞいて、仕上がりに満足した。「きっと職業的な勘が働くのね、相手の度量を測るのが習慣になってるから。さあ、見て」

バービーはレジャイナに手鏡を渡して、新しいヘアスタイルを見せた。

「どうかしら」レジャイナは不安そうな声を出した。「レースカーのドライバーがかぶってるヘルメットみたい」

「最新の流行よ」バービーが晴れやかに言った。「NASCARにちなんでナスコイフっていうの。シックでしょ。街の美容室に行ったら、けっこう取られるわよ。予約が取れたらの話だけど。いまはレースシーズンでどこも満員」

「そんなにはやってるんなら、どうしてあんたはナスコイフにしないの？」

「わたしは線が細すぎて、そういうヘアスタイルは似合わないわ」バービーは言った。「それより、早くお風呂に入りましょう」

30

フーターも今夜のためのおめかしに余念がなかった。いつもは細かく分けて編んである髪をほどいて、きょうは小さなヘッドクロスの下に押し込んでみた。そして、アメリカ国旗を描いた先の丸くなったつけ爪をつけた。それから、黒い蛇革《へびがわ》もどきのぴっちりした乗馬ズボンに脚を突っ込んで、その上から銀色のブーツを履いた。宇宙飛行士風の、マジックテープで留めるスタイルの太めのブーツだ。

これとバランスをとるには上に着るものが難しいのだが、フーターは考えた末にシンプルな黒いチューブトップを選んだ。そして、仕上げにビーズのついたジャケットをはおった。鮮やかな色でコダック、デュポン、ペンゾイルのロゴが入っている。イースト・ブロード・ストリートの安売り銃砲店とノーチェック・チェック・キャッシングとポケベル販売店のあいだにあるブランド物のイミテーション専門ブティックで、NASCARコーナーにあったのを見つけたのだ。

アンディも着ていくものに細心の注意を払っていたが、彼の場合は虚栄心やセックスアピールとは関係がなかった。リッチモンド国際レース場には一度も行ったことがなかったので、酔っ払ったNASCARファンがどんな服装をしているのかわからなかったが、できるだけめだたないようにして、できるだけ防護・武装しておくのがいいだろうと思った。それで、古いカウボーイブーツにだぶだぶのジーンズを履いた。これならブーツの足首にアンクレット・ホルスターを巻いて銃を隠していてもわからない。防弾チョッキの上からレッドスキンズのスエットシャツを着て、革ジャンをはおった。ひげを剃るのはやめた。無精ひげにポニーテールのかつら、ミラーサングラス、そして、ジーンズの下に巻いたウエストバンドに九ミリ口径のピストルをしのばせると、これでだいじょうぶと安心した。これなら、スモークも気づかないだろう。あいつだけではなくて、だれにも気づかれないはずだ。

ビールを飲んで一息入れようとしたところに、玄関のベルが鳴った。

「いったい、だれが……」アンディはつぶやいた。ここを訪ねてくるような人間に心当たりはなかった。「どなた?」彼はドアを閉めたままつっけんどんに聞いた。

「わたし」押し殺した女性の声が答えた。アンディはひょっとしたら戸口に証拠物を置いていった連続殺人犯かもしれないと思った。

「わたしって?」

「ハマー」

「すぐ開けます」アンディはあわててドアを開けた。「すみません、あなただとは思わなかったものですから。声がいつもとちがうから、最初は……」

ハマーを見た瞬間、アンディはひっくり返りそうになった。まるで暴走族だ。上から下まで鋲《びょう》を打った黒い革で固め、黒のディンゴ・ブーツにハーレーの革ジャン。肩からさげたハーレーのトートバッグには、ちょっとした弾薬庫並の武器が入っているのだろう。くっきりとした顔だちがどぎつい化粧で強調され、髪は逆毛を立ててふくらませてあった。

「なにも言わないで」ハマーはなかに入るなり言った。「こんな暴走族のお姉さんみたいなかっこうはしたくないけれど、しかたないのよ。でも、このかっこうでヘリコプターに乗ってだいじょうぶかしら？」ハマーはアンディの変装を見ながら言った。「どっちにしても、私服の州警察官をタンジール島に送ることはできなくなったわ。州警察のパイロットはあなたとマコヴィッチだけで、二人とも手いっぱいだし、あなたがコラムでトーリーの財宝のことを書いたせいで知事が航行禁止区域に指定したから、フェリーは運航を中止しているし。それで相談しに来たのよ。計画を変更したほうがいいんじゃないかと思って」

アンディのあとからダイニングに入ると、ハマーは部屋を見まわした。コンピューター、プリンター、ファイリング・キャビネット、資料の山を眺めているうちに、トルーパー・トゥルースの秘密の基地に入り込んだような気がしてきた。トルーパー・トゥルースがだれで、どんな生活をしているのかよく知っているはずなのに、突然、あの幻のライターに会いたいと思った。

「おかしいわ、どう考えても」ハマーはつぶやいた。

「わかってます」アンディが言った。「奇抜なかっこうでビールのにおいをさせているうえに、ひげも剃っていなくて申しわけありません。たしかに、このかっこうで州警察のヘリコプターに乗るのはまずいかもしれない」

「そうじゃなくて、あなたがあのコラムを書いた部屋にすわってると、なんだか妙な気持ちになってきたの。たとえてみれば、カーテンの裏にまわってオズの魔法使いの正体を突き止めたような、バットマンの秘密の洞窟を探し当てたような気持ち。ある意味では、がっかりしたような……。わたしのなかにはトルーパー・トゥルースという謎のライターの存在を信じる部分もあったんでしょうね。いえ、なにも彼のファンになりかけていたというわけじゃないのよ」ハマーは首を振って、ため息をついた。

「やっぱり、おかしいわね。そもそも、わたしはだれかのファンになったことなどないし、ああいうことは理性のない愚かな人間のすることだと思っていた。理性的な人間がだれかをオリュンポスの神々のように崇《あが》めて、その人のポスターを壁に貼ったりするわけがない、と。だいたい、理屈に合わないでしょう？　見ず知らずの他人に憧れたり、いっしょに寝たいと思ったりするなんて」ハマーは続けた。アンディはなんとなく居心地の悪い思いで自分の手を見つめていた。きっと、署長はぼくよりもトルーパー・トゥルースのほうが好きなんだろう。「何千人、ことによったら、何百万人もの人が、トルーパー・トゥルースの書くものを読んで、彼に憧れ、性的な空想を抱いているんでしょうね」ハマーは言った。「少なくともウィンディはそうだわ。ただし、彼女の場合は、トルーパー・トゥルースは若くても八十歳ぐらいで、歩行器を使っていると信じているけれど。でも、ジョーはもうおしまい」ハマーはどんとテーブルを叩いて宣言した。

「どういう意味ですか？」アンディは不満そうな声で言った。「ジョーをしているつもりはないし、これまでもそうだ。ぼくがどんなペンネームを使おうと、そもそもペンネームを使おうがどうしようが関係ないでしょう。あのコラムを書いているのはぼくに違いないんです。トルーパー・トゥルースはぼくなんだ」

「トルーパー・トゥルースは存在しないのよ」ハマーは言った。

「そうですか。じゃあ、聞きますが」アンディは落ち着きを取り戻そうとした。「ぼくがトルーパー・トゥルースじゃないというのなら、あなたにとってトルーパー・トゥルースとはだれなんです？　彼にどんな空想を抱いているんですか？」

「こんな無意味な会話はもうやめましょう」ハマーは言った。「これから大きな仕事があるというのに。そちらに神経を集中すべきよ」

「たしかにそうだ」アンディはさっきよりは落ち着いた声で言った。「あなたがトルーパー・トゥルースのファンでもファンでなくても、あるいは、ぼくを含めただれかのファンでも、ぼくにはどうでもいいことです。ぼくはだれのファンでもないし、これまで一度もそんなふうになりたいと思ったことはない」そう言ったとき、電話が鳴り出した。

「おい、困ったことになったよ、ブラジル」マコヴィッチの興奮した声が伝わってきた。

「知事はレース場にヘリコプターで行かないと言い出したんだ」

「冗談じゃない」アンディは言った。「どうしてそんなことを？　なんとか説得しろ。安全のためにはヘリコプター以外には……」

「無理だよ。急に思いついたらしい。最近来た馬のために移動式の厩をつくろうって、あの不細工なビリヤード狂の娘が吹き込んだみたいだ。こんなばかげた話、聞いたことないよ。リムジンの後部席の床に木屑を撒けと言い出してきかないんだ。知事一家はリムジンで行くとさ。おれに運転しろと言ってる。しょうがないだろ」

「スモーク一味はどうするんだ？」アンディはあわてた。「レース場まで送ってくれるはずのヘリコプターがいくら待っても現れなかったら？　あいつらはポパイの命を握ってるんだぞ」

「おれが知ってるのは、あいつらとメディカル《M》・カレッジ《C》・オブ・バージニア《V》のヘリポートで落ち合う予定だってことだけだ。おれは行けないぜ」

「くそ！」アンディはがしゃんと受話器を置いた。

　アンディは電話の内容を説明しながら、ハマーの顔に一瞬悲しみが浮かんだのを見て、いたたまれない気持ちになった。ポパイは助からないかもしれない。この計画は失敗に終わる。スモークたちをレース場におびき出さないかぎり、チャンスはゼロだ。

「ヘリコプターが来ないとわかったら、なにかあったと感づくわ」ハマーは気落ちした声で言った。「キャットが逮捕されたと気づくだろうし、州警察官の半数がレース場で待ち構えていると感づくわ。もとはと言えば、あの小さな馬のおかげで……」

　アンディは黙っていた。トルーパー・トゥルースのウェブサイトで知事にその馬を勧めたのは彼だったからだ。

「どう言えばいいかわからないけれど、もとはと言えば、ぼくが……」アンディは言いかけた。

「いまさら遅いわ」ハマーはしょんぼりと言った。「それに、謝ることはないわ。あなたの責任じゃない。トルーパー・トゥルースに茶番劇を演じさせたのはわたしよ、こんなことになるとは夢にも思わないで。わたしはただポパイが……」ハマーは言葉につまった。「ただあの子が苦しんでいなければ……」その目に涙が盛り上がった。「なにを言ってるのかしら、わたしは」

「まだあきらめるのは早いですよ」アンディは言った。アイデアがひらめいたのだ。途方もない計画だが、けっして不可能ではない。「ドニー・ブレットは430に乗ってます」

「だれ、それは？」ハマーはハーレーのトートバッグに手を入れてティッシュを探した。手錠がピストルに当たる音がした。

「レーシングカーのドライバーですよ、ナンバー11の。今年はこれまでで六勝してる、マーティンズヴィルやブリストルで。なぜ彼のヘリコプターがベル430だと知っているかというと、よくそれに乗って宣伝に出てるからです。ブレットの車の色に塗ってあって、いつもレース場に乗ってくる。だから、きっといまもレース場のヘリポートに置いてありますよ。間違いない」めまぐるしく考えるあまり、言うことが支離滅裂になってきた。「ドライバーのだれかの家族ということにしよう。それで決まりだ。そして、ブレットのヘリコプターでMCVに乗りつけて、スモーク一味を自分で連れてくればいい」

「でも、そのなんとかブレットという人にどう説明するの？」ハマーが聞いた。「レースのまぎわになってヘリコプターを使わせてほしいなんて言っても無理よ」

「だいじょうぶ」アンディは言った。「空想の世界に入って、小説を事実にすればいいんです」

「ライターを気取ってる場合じゃないでしょ」ハマーは鼻をかみながら言った。

「あなたは前の席の左にぼくと並んですわって、ぼくのガールフレンドのふりをしてください」アンディは頭のなかで計画を立てながら言った。

「それで、あなたはなにになるの？」

「ドニー・ブレットの弟です」アンディは答えた。「スモークと彼の仲間にマコヴィッチが迎えにこられなくなったので、ブレットに助けを借りたと思わせるんです。あの連中を乗せて、レース場に着陸したらすぐ州警察官に逮捕させる。さあ、急いで。早くレース場に行かなくては」

いまごろは五万人のNASCARファンがレース場に向かっているだろう。交通渋滞はバージニア州のほぼ全域にひろがっているだろうから、州警察のヘリコプターで渋滞の上を飛ぶしかなさそうだ。そして、ドニー・ブレットをつかまえて、ハマーと二人で頼み込もう。ブレットは愛国心の強い典型的なアメリカ人で、家庭人でもあり、全米の警察のバッジや銃をコレクションしているというから、協力してくれるのではないか。だが、現実には、ブレットは身辺の警護にも気を遣う人間だった。ヘリコプターでレース場に着いたハマーとアンディが、人ごみをかきわけながら、敷地内にとまっているブレットの豪華なトレーラーに近づくと、大男が何人もドアの前に立ちはだかっていた。熱狂的なファンやストーカーを阻止しようというわけだ。

「ミスター・ブレットに話があるの」ハマーが告げた。

「休憩中だ。帰ってくれ」用心棒のひとりがつっけんどんな口調で言った。

ハマーは革のパンツの後ろポケットにチェーンで結びつけてある財布を取り出すと、バッジを見せながら低い声で言った。「州警察よ。これは秘密捜査。おおぜいの人間の命がかかっているの」

アンディもジーンズのポケットからバッジを取り出した。

「ミスター・ブレットの邪魔はしたくないし、レース前は心を落ち着けて勝つことだけに神経を集中したいのはわかるんだが、どうしても会わなくてはならないんだ」アンディは説明した。

「そりゃ、勝ってもらわないとな」もうひとりの用心棒が言った。「負けると機嫌が悪くなるからな。レース前はいつも瞑想してる。だが、まあいちおう伝えてやるよ」

「これはなんかの冗談か?」ドニー・ブレットは、部屋に案内されてきたバイク乗りのおばさんと野暮ったい年下のボーイフレンドの話を聞くと、まずそう言った。「あんたがたが州警察官だというのは信じるが、ヘリを貸したら、おれはレースのあとどうやって帰るんだ?」

「州警察の430を使ってください」アンディはこの有名でハンサムなドライバーに言った。ふつうのかっこうをしているときは、眠そうな顔の気さくな男のようだ。「知事の一行を車で無事に官邸に送り届けたら、マコヴィッチというEPUの州警察官がヘリコプターでここに迎えにきます。約束します」

ブレットは思案しながらペプシの缶を開けた。

「なるほど」彼は言った。「それで、州警察のヘリはどんなやつだ? 何色に塗ってある?」

「州警察の色よ」ハマーが答えた。

「ということは、おれが勝ったら、州警察のエスコートでここから帰るかっこうになるわけだな？」ブレットはその計画が気に入ったようだった。

「勝たなくてもそうよ」ハマーが言った。

「もちろん、勝ちますよ」アンディが急いで言った。

ブレットはテーブルの前にすわって大きなため息をついた。急に小さくしぼんだように見えた。百戦錬磨のドライバーにはとても見えない。

「ほんとのところ、自信がないんだ」彼はがっくりとうなだれた。「みんながおれのファンだと言ってくれるが、あれはけっこうプレッシャーなんだよな。それに、認めたくないが、今シーズンはラボンテのほうがずっと成績がいい。ベガスの第三レースでジャレットに追いついただろ。あいつはあれ以来ずっと好調だ。おれの弱みは、トロフィーが好きでたまらないことだ。こだわりすぎるんだよ、勝つことに。だから、ラボンテのような一貫性に欠ける。それに、ぶちまけた話、このリッチモンドのレーストラックは嫌いなんだ。この春、ここで開催されたポンティアック・エキサイトメント400で十八位に終わった。信じられないだろ？

あれで完全に自信を失ったんだよ。人には黙ってるがね。大きなヘリでレース場に来るのも、たぶんそのせいだろうな。みんな、あれを飛ばしてると、大騒ぎするんだ。それで、なんとなく自信がついたような気がする。ファンに大物だと思われてると安心するんだろうな、たとえ落ち目でも。おれはもう長くないよ」

ハマーはいらいらして腕時計に目を向けたが、アンディは椅子を引き寄せて、ブレットの前にすわった。

「つまり、こういうことですね」アンディは言った。「レース場には二十台から二十五台、車が並んでいる。そのなかにあなたのナンバー11もあるわけだが、どの車も一位になる可能性がある、と」

「ああ、そのとおりだ」ブレットはペプシを飲むと、みじめな顔になった。「だれだって勝てる可能性はある。レースはそういうものだ。だから、自信をなくしたんだ、この前ここで十八位になって」

「つまり、レースのたびに新たなチャンスがあるということですよ」アンディは続けた。「そのチャンスを精いっぱい生かすことができたら、どのドライバーにも優勝するチャンスはある。そして、ドニー、今夜はあなたの番だ。あなたはバド・ポールの勝者じゃありませんか。ラッドやラボンテやスキナーやウォレスやアーンハート・ジュニアと並んで。デートナ500ではポール・ポジションをとったし、バド・シュートアウトではスターティング・ポジションに立った。それに、忘れてはいけませんよ、まだ今年のレイベストトス・ルーキーのランキングの上位にあるし、シャーロットのウィンストンでも優勝している」

「だが、十八位になって……」ブレットはまだこだわっていた。「今夜もきっといざとなったら、そのことしか考えられなくなる。チョーキングしようとしたり、コーナリングのときにスピンしそうになったりしたときに、ふとそのことが頭に浮かんで、集中力を失ったり、ほかの車の進行方向を読み違ったりするんだ」

「あなたの直感と的確な判断は定評がありますよ」アンディは言った。「九九年のブッシュ・シリーズを覚えてますか？」

「急がないと」ハマーは悲鳴に近い声を出した。「ぐずぐずしていたら取り返しのつかないことになる」

「忘れるわけがないだろう」ブレットは首を振りながら答えた。「あれは最高だった」

「そうですとも」アンディは声に力を込めた。「どのトラックを走っても、事故車が出たり、ドアをぶつけ合うこぜりあいがあったりして、まともに進めなかった。あなたはどうしたんでしたっけ？　四周目でナンバー40が事故を起こしてそこから七周は追い越し禁止の警告走になったあと、ハミルトンが再開二周目でスピンオフして、バートンとフラーがリタイアしたのに、あなたはいったんアクセルをゆるめておいてバックストレートでかっとばし、そのまま走りつづけた」

「そうだった」ブレットは顔をあげて力強くうなずいた。「そうだったよ」

「そして、あれはこのリッチモンドだった」アンディはこの結論を強調するためにテーブルを指で叩いた。「このリッチモンド・レーストラックだったのです」

「そうなんだよ。これがおれの性分なんだ、だめだったことばっかりくよくよ考えるのが」

ブレットはにやりとした。「だが、見てろよ。今夜はそんなへまはしない。おれのヘリを使いたいなら、さっさと持ってっていいぞ。操縦できるやつがいるのなら」

「ぼくが操縦します」アンディが言った。「今夜、レーストラックに入ったら、ぼくが言ったことを思い出してください。あなたにはチャンスがある。きっと勝てる」

「いったいあれはなによ?」ハマーはブレットの華やかな430が、リッチモンドのダウンタウンの上空に舞い上がると、アンディに聞いた。ブレットの専用機は黒い機体に彼の車のナンバーとこれまでの戦績が、鮮やかな黄色や紫や赤で描かれている。「あなたはレースは見に行かないのかと思ってた」

「行きませんよ。でも、たまにテレビで見て戦略を研究してる。カーレースのほかにもテニスの試合や海軍特殊部隊《ネイビーシール》の射撃で」アンディはマイクを通して答えながら、州間高速道路九五号線の上空を時速一五〇ノットで操縦した。高速道路は見渡すかぎりの車の列で、ほとんど進んでいないように見える。「よかったですね、地上にいなくて」アンディはつけ足した。

バービー・フォッグはいまのところ、レース場に向かう車の渋滞に巻き込まれてはいなかった。バービーが裏道や抜け道をよく知っていたからではなくて、フーターを料金所まで迎えにいったあとで、思いがけない事態になったからだ。携帯電話にジャスティス牧師から電話がかかってきたのだ。バービーはびっくりしたが、大いにほっとした。

「ずっとどこにいらしたんですか？」バービーは聞いた。フーターは助手席で自分の手を見ながら、つけ爪に描かれた小さな星条旗をほれぼれと眺めていた。

「刑務所の慰問で忙しかったんだ」牧師は答えた。「車が故障してしまってね。できるだけ早く迎えにきてくれないか。同胞が何人かいっしょだから、座席は……そうだな、わたしを含めて六人分必要だ」

「そんなにたくさんは無理です」バービーは困った。フーターは宇宙飛行士のようなブーツのマジックテープをびりっとはがしてまたつけ直しながら、このばっちりきめたスタイルで知事の貴賓用ボックス席に立ったところを想像していた。

あの気の利かない大男のマコヴィッチという州警察官は、レース場に来るだろうか。フーターはふと思った。きっと、来るだろう。知事の護衛がどんなに危険で重要な仕事か、さんざん自慢していたから。この前いっしょに飲んだときも、知事がどうしたとか知事がこうしたとか、そんなことばっかり言っていた。フーターはちょっと惜しいことをしたような気がした。たしかにマコヴィッチは酔っていて、頭にあるのはあのことだけだった。知事のことや、議事堂広場にある豪壮な官邸で働くのはどんなことかとか、ビリヤードでみんなを負かしたとかそんなことばっかりしゃべりながら脚をさわろうとした。でも、フーターはさびしかった。

「ねえ、あたし、彼につらくあたりすぎたんじゃないかしら」フーターはそう言うと、ため息をついた。バービーはもう営業していないガソリンスタンドに車を入れてUターンした。

「彼が今夜来るといいんだけど。あたしのかっこう見て、見直してくれるかしら?」

「とてもすてきよ」バービーはうわの空で答えた。それよりも、レースに間に合うのか、そもそも行けるのかどうかが心配だった。

牧師の電話は、唐突でどこかおかしかった。ダウンタウンの北西に当たるさびれた一画に向かいながら、バービーは思った。そこにある市の拘置所の筋向かいの、少年裁判所の裏の駐車場で待つようにという指示だった。牧師は同胞とともに小さな木立の陰に隠れていて、彼女のミニバンが現れたらすぐに飛び乗る。全速力で車を出して、なにも質問しないこと。

「その州警察官に電話して、ちょっと遅れるかもしれないと言っておいたほうがいいかもしれない」バービーはだんだん心配になってきた。「ほかの人に知事のボックス席を譲らないように頼んでおいたら?」

「どういうこと? 遅れるって」フーターは叫んだ。さっきバービーが携帯電話で話していたときはろくろく聞いていなかったのだ。「だめよ。そんなことしたら、レースドライバーたちがトレーラーから出てきて車に乗るとこ見られなくなっちゃう。いっしょに写真撮ったりできなくなるのよ。一生に一度あるかないかのチャンスなのに、遅れるなんてとんでもない」

バービーがスピードをあげたとき、フーターはカラフルな大型ヘリコプターがMCVのほうに飛んでいくのに気がついた。

「ねえ、見て、あのヘリコプター」フーターは身を乗り出してよく見ようとした。「月にぶらさがってるみたいな感じじゃないかしら、ヘリコプターに乗ってると。きっと、病人を救急治療室に運んでるんだわ。でも、あんな派手な救急ヘリ見たの初めて」

「まあ！」バービーはびっくりして、もう少しで道路からはずれそうになった。「あれはドニー・ブレットの色だわ。ほら、ドアに彼のナンバー11が描いてある。どうしましょう、もう事故を起こしちゃったんだわ」

「だって、レースはまだ始まってもいないのよ」フーターが言った。「心臓発作でも起こしたんじゃないの？　この春、ここでレースがあったとき十八位になって、ストレスがたまってたのよ、きっと」

31

アンディとハマーは、ドニー・ブレットよりはるかに大きなストレスを感じていた。スモーク一味の扱い方は心得ているとハマーに見得を切ったものの、アンディはこれから先どうなるか見当がつかなかった。ヘッドセットのおかげでポニーテールのかつらは乱れてしまうし、もうすぐ日が落ちるから、いつまでもレイバンのサングラスをかけているわけにもいかないだろう。ヘリコプターをホバリングさせながら機首を風に向けたとき、スモークを見つけた。プラチナ・ブロンドをショートカットにした、きゃしゃな女といっしょだ。スモークエンスで囲まれたヘリポートの向こう側の空き地にとめた黒いRV車から、仲間が二人出てきた。みんなNASCARカラーの服を着て、いちばん小さいのは黒い旗らしきものでくるんだ小さな包みをかかえている。

「あれがポッサムだ」アンディはマイクを通してハマーに教えた。「ポパイを抱いてるみたいですね」

ハマーは感情を表に出さないように努力した。旗の包みらしきものに関心を示すのは愚かなことだ。いまの彼女はドニー・ブレットの弟のガールフレンドなのだから、ポパイを知っているわけはないし、興味を示す理由はないのだ。

「しっかりつかまっててくださいよ」そう言うと、アンディはヘリコプターをコンクリートの上に着陸させて、二つのエンジンのスロットルをアイドリングに入れた。「話をつけてきます。もしなにかあったら、スロットルをオフにして、銃を使ってください。窓が開きますから」

ハイウェイ・パイレーツはフェンスのそばに集まって、この華麗なヘリコプターに見とれていたが、ポニーテールの白人が近づいてくるのに気づくと、ちょっと当惑した顔になった。

「おまえ、だれだ？」スモークがどなると、ポッサムの腕のなかで小さな包みが動いた。

「兄貴に言われて迎えにきたんだ」アンディはまたシナリオを書き換えることにした。

「あんたの兄貴って、ドニー・ブレットか？」クーダが目を丸くした。「すっげえ、あいつ、かっこいいよな。今夜はうまくやってくれるといいけど。この前はどじって十八位だったから」

「黙れ！」スモークが命じた。「州警察が迎えにくることになってたんだ」彼はアンディに言った。「なんでおまえの兄貴のヘリが来たんだ？」

アンディはスモークが真っ赤なウィンストン・カップ・ジャケットのポケットの上に右手を置いているのに気づいた。そこに口径の大きな銃を隠しているのだろう。スモークのガールフレンドと目が合った瞬間、アンディは背筋がぞくっとした。どこかで会ったような気がする。

「おれもよくは知らないんだが」アンディは言った。「おれとおれのガールフレンドの副操縦士が、ドニーのトレーラーに応援しにいったら、でかい黒人の州警察官が血相変えて飛び込んできたんだ。そいつの話じゃ、知事のヘリコプターがどっかいかれたとかで、予定が狂ったそうだ。ピットクルーをダウンタウンまで迎えに行くことになってたが、どうしていいかわからないから、ドニーになんとかしてもらえないかって。兄貴のヘリコプターがとまってるのを見て、頼みにきたっていうんだ。あんたら、ジョリー・グッドレンチのピットクルーなんだろ？」アンディは相手の虚を衝《つ》こうとして、警戒した口調で聞いた。

「そうだよ」ポッサムはヘリコプターの回転翼の音に負けないように声を張り上げると、旗を少しひろげて、煙草を吸っている骸骨の一部と「ジョリー」の文字と「グッドレンチ」の一部をアンディに見せた。「さあ、乗ろうぜ」ポッサムが叫んだ。

「待ちな」スモークがアンディをにらみながら言った。「なんでジョリー・グッドレンチのこと、おまえが知ってるんだ？」

「そうだ。なんか変だぜ」クーダも言った。

「旗を見たからさ」アンディは旗を指さしながら、ポッサムが機転をきかせて危ないところを助けてくれたことに感謝した。

「おれ、ジョリー・グッドレンチのことをＮＡＳＣＡＲのウェブでちょっと書いたから」ポッサムがまた話のつじつまを合わせてくれた。

「そうなんだ」アンディはポッサムに秘密の合図を送った。「あれを読んだんだ」

ポッサムはすぐにぴんときて、ショックを顔に出さないようにした。この金髪のポニーテールの男はドニー・ブレットの弟なんかじゃなくて、変装したトルーパー・トゥルースだ。トルーパー・トゥルースは計画を変えたらしい。土壇場でなにかまずいことが起こるような予感がしてたけど、やっぱりそうだった。そうじゃなきゃ、トルーパー・トゥルースがドニー・ブレットのヘリコプターに乗ってやってくるわけがない。

「なあ、一晩中ここに突っ立ってるわけにいかないんだ」アンディは大きな声を出した。「このヘリポートを占領してたら、救急ヘリが移植用の心臓を届けにきたとき困るだろうが。あんたらが乗っても乗らなくても、おれはレース場に戻るぜ」

「乗れ」スモークが命じた。スモーク、彼のガールフレンド、そして二人の仲間は、フェンスを乗り越えると、回転翼が起こす突風にＭＡＣツールやＭ＆Ｍやエキセドリンのロゴの入った野球帽を吹き飛ばされないように押さえながら４３０に走った。

バービーとフーターがさっきのカラフルなヘリコプターがまた上空を飛んでいくのに気づいたのは、少年裁判所のがらんとした駐車場に着いたときだった。バービーが駐車場の奥にミニバンを入れたとたんに、必死の形相をした男たちが――そのなかには牧師もいた――木陰から飛び出してきて、猛然とダッシュして車のドアを開けると、折り重なるようにして乗り込んできた。男たちが風呂にも入らず、ひげも剃らず、ベルトも靴紐もしていないことにフーターはすぐ気がついた。見た瞬間、囚人とわかって、フーターは恐怖に身がすくんだ。今度はどんな事件に巻き込まれたのだろう。それに、あのメキシコ人の男の子は、この前の晩、料金所で見かけたのと同じ子じゃないかしら。

「車を出せ」ジャスティス牧師が叫んだ。

「早くこんなとこからずらかろうぜ」スリム・ジムが言った。

「伏せろ」トレーダーがわめいた。

「おい、そんなに押すなよ」キャットが文句を言った。

男たちは床に伏せ、バービーは急いで駐車場から車を出した。パトカーがライトをつけて、通りの反対側にある陰気なレンガ造りの拘置所に向かっていく。

「あわてないで、いつもどおり運転して」フーターは注意した。だれかがしっかりして、リーダーシップをとらなければ。「そんなにすっ飛ばしたら、警察に怪しまれるじゃないの。

脱走犯を手助けした罪で逮捕されちゃうよ」

「なんですって？」バーピーはぎょっとして両手でハンドルをつかんだ。「脱走犯？」

「われわれの逮捕は不当なものなんだ、バーピー」牧師が後部座席の床から言った。「われわれがあそこから出て、きみの助けを借りているのは、神さまのおぼしめしなのだ。それに、こうするしかなかった。同房者に強制されて、腹のなかでなにかが爆発したみたいなふりをして、助けに飛び込んできた看守の頭を食事用トレイで殴ってしまった。ちょうどピンが看守をしていたときにやられたように。もうわかるだろうが、あのアイデアは『ピンと頭突き合わせて』からヒントを得たものだ。神のみわざは素晴らしいではないか」ジャスティス牧師は説教をつづけた。「もしわたしがあの番組に出演しなかったら――モーゼス・カスター事件がきっかけだったが、ファーマーズ・マーケット一帯の地域パトロールを始めていなかったら、あの番組に出ることもなかっただろうし、だれかの頭をトレイで殴ろうなどと思いつかなかったにちがいない。それに、このところ急に有名になって過労とストレスがたまっていなかったら、それを発散させるためにあの老婦人に声をかけるようなまねはしなかっただろうし、結局のところ、だれもトレイで殴りつけずにすんでいたはずなのだ」

　きっとただの迷信なのだろうが、モーゼス・カスターは耳がむずむずするときは、だれかが噂をしているのだと聞いたことがあった。車を連ねて知事とレース場に向かう途中、モーゼスは包帯の下で右耳がむずがゆくてたまらなくなって、これはみんなが自分のことを噂しているにちがいないと思った。なんといってもVIPの招待客として立派な黒いリムジンでレース場に乗りつけて、知事専用のボックス席でゆっくり見物できるのだから。彼は色のついたガラス窓から渋滞した道路を眺めた。知事は鼾《いびき》をかいているし、風変わりな知事の娘は自分の胸の谷間を見おろしている。赤毛の小さな馬が木屑のなかに立っていて、時折モーゼスの足を踏んだ。

マコヴィッチは車の間を縫うようにして進みながら、無線でアンディと話していた。アンディはヘリコプターのインターコムを「クルー・オンリー」に切り替えて、スモークたちに話を聞かれないようにした。

「それでなくても大変だってのに、脱走事件があったんだ」マコヴィッチは言った。「拘置所からいっぺんに六人逃げて、警官がそこらじゅうに出てる。大騒ぎだよ、こっちは。この調子じゃ、いつレース場に着けるかわからないが、遅れるのはたしかだな」

「よく聞いてくれ。プランBに変更した」アンディは前方の、眼下一〇〇〇フィートのところに見える満員のレース場を見ながら言った。

「てっきりプランGかHにすると思ってたよ」

「レース場の上空を高高度偵察して、制服警官の一団がヘリポートに待機するのを待つ。それなら、スモークもおりる気にはならずに、計画を変えてタンジール島に連れていけというだろう」

「だが、あっちに私服の援軍なんていやしないんだぞ」マコヴィッチは心配した。

アンディはレース場を見おろした。何千というファンがヘリコプターに向かってしきりに手を振りながら、ヘリポートに近づこうと先を争っている。

「こんなことになるとは思ってなかったんだ。うかつだった」アンディは悔やんだ。「ブレットのファンが彼の愛用ヘリに気づいて、地上で待ち構えている。この調子では怪我人が出るか、スモークに逃げられるかだろう。だめだ、レース場にはおりられない」

「テン・フォア」マコヴィッチは言った。「了解って意味だ」


レース場のスタンドがどんどん埋まっていくのを見ながら、アンディは着陸灯をつけて速度を落とした。インターコムを「オール」に戻して、全員に声が届くようにした。

「あと数分で着陸する」アンディは告げた。「これ以降は指示に従うことがきわめて重要となる。安全のためだ。着陸しても席を離れないこと。グラウンドクルーが誘導してくれる」

スモークは窓から外を眺めていた。ヘリポートが視界に入ると、警官が何十人も待機しているのに気づいた。それに、さっきから気になっていたが、パイロットのポニーテールがどこかおかしい。ちょっと前までは普通だったのに、いまは片側にずれている。

「あんなとこにポリ公がいるぜ。あいつら、なにやってんだ？」スモークはマイクに向かって言った。

「さあな。着陸したら、ヘリポートから離れるだろ」アンディは受け流した。ハマーは身を硬くして、振り返ってポパイの無事を確かめたいという気持ちと闘っていた。

「ふうん」スモークの声に凄みが加わった。「なんか臭うんだよな」

「おい、見ろよ、あの連中」クーダが歓声をあげた。「みんな、こっちを指さしたり腕をふりあげたりしてるぞ。おれたちをドニー・ブレットだと思ってるんだ」

「ばか野郎！」スモークの怒声がヘッドセットからとどろいた次の瞬間、ポニーテールのかつらが背後から引き剝がされ、レイバンのサングラスが叩き落とされた。

アンディはマコヴィッチとヘリコプターに乗ったとき、繰り返し教え込まれたことを思い出した。なにがあってもヘリを飛ばせ。どんな状況でも、どんな危険が迫っても、操縦しつづけなければならない。アンディはうなじに硬く冷たい銃口を感じながら、ゆっくりと高度を下げた。スモークは口汚くわめきちらし、犬を殺すと脅しをかけた。

「やめなさい」ハマーが一喝した。「墜落してもいいの？　それがいやなら、おとなしく後ろに引っ込んで、このばかでかいマシンはわたしたちにまかせることね。だれも操縦できないんでしょ。だったら、こっちの言うとおりにするしかないわね」

「……くそっ、なめやがって」スモークはわめきちらした。「おまえらの正体はわかってんだ。言っとくが、あの犬ころはここにいるからな。そっちこそ言うとおりにしなかったら、こいつに殺鼠剤を注射してやる」

ハマーはスモークがはったりをかけているのだと思ったし、そうであることを心から願ったが、ポッサムはスモークがポケットから注射器を出したのを見ていた。思わずポパイを抱き締めると、旗のなかでぶるぶる震えているのがわかった。ユニークは恍惚《こうこつ》とした表情で身じろぎもしない。目が妖《あや》しく輝いている。

「いま、そんなことしちゃだめだよ」ポッサムはスモークに言った。「いまぶすっとやったら、痙攣起こして、そこらじゅうきゃんきゃん飛びまわるぞ。死んじまったら、こいつら脅す材料がなくなるじゃないか」

スモークはしばらく考えたが、ポッサムの言うとおりだと思ったようだ。ハマーの心臓は恐怖で縮み上がった。はったりなんかではなく、スモークはほんとうに殺鼠剤の入った注射器を持っているのだ。この人でなし。生きて地上におりられたら、きっと撃ち殺してやる。それで警察官としての人生を棒に振ることになっても、過失致死罪で起訴されてもかまわない。

ユニークはポケットからそっとボックスカッターを取り出した。なにかに取り憑かれたような目がじっと金髪の警察官のうなじに向けられている。あのナチの男に「目的」は自分で探せと言われたけれど、とうとう見つけた。一度は体の分子構造を変えたが、また元に戻した。ひそかにつけ狙っていた警察官はアンディ・ブラジルだったとわかったが、このヘリコプターに乗り込んだ時点で向こうに顔を見られてしまった。だから、いまさら姿を消しても意味がないし、どっちにしても、彼にはどこのだれだかわかるはずがない。この男の喉を真一文字に切り裂くところを想像すると、体の奥から快感がこみあげてきた。そのあとはあの副操縦士に操縦させればいいし、地上におりたら、あの女の喉も掻《か》っ切《き》って、しばらくひとりきりで死体とすごそう。

「どっかほかのとこへ連れてけ！」スモークがアンディに命じた。「ぐずぐずするな。おれたちをいますぐタンジール島に運ぶんだ。二度とおれの聞こえないとこで、こそこそやるんじゃねえぞ」

32

マコヴィッチは虹のバンパーステッカーをつけた白いミニバンが、車二台あいだにはさんで前方を走っているのを見て、フーターの料金所に貼ってあった虹のステッカーを思い出した。フーターのことを考えたのとほとんど同時に、その当人がミニバンの助手席にすわっているのに気づいて飛び上がりそうになった。フーターは後ろを向いてだれかに話しかけている様子だが、マコヴィッチにはだれも見えなかった。

「なにやってんだ、あいつ」マコヴィッチは心のなかでつぶやいた。そういえば、あのミニバンの走り方はどこかおかしい。急にスピードを上げたり下げたり、道路からはずれたかと思うと、車線を変更して前の車を追い越そうとしたりしている。

マコヴィッチはリムジンに特別に装備してあるフロントグリルの青いライトをつけて、先行車両のバンパーにリムジンをつけた。前の車のドライバーに路肩に寄るようにという合図だ。その前の車にも同じことをして、ミニバンのすぐ後ろにリムジンをつけると、青い緊急ライトをちかちかさせた。

「なにやってるの？」レジャイナがバービーにもらったフェースパウダーをはたきながら聞いた。

「なんとかして前に出ようとしてるんです」マコヴィッチはそう言うと、無理やり左車線に割り込んで、ミニバンと並んだ。

フーターに手を振って注意を引こうとしたが、フーターはなかなか気がつかない。バービーが先にマコヴィッチのリムジンに気づいて、フーターに教えてやっとこちらを向いたが、そのとたんに困り果てた顔をして「助けて」という口のかっこうをした。

「まずいな」マコヴィッチはつぶやいた。知事の車を運転しているときは、車をとめたり、ほかのことにかかわったりできないのだ。

彼は肩をすくめて、フーターにいまはなにもしてやれないと伝えようとした。そして、リムジンの後部席を指さしてから、宙に四角を描いてみせた。「お荷物」を運んでいる最中だというつもりだった。するとフーターは目をぐるぐるまわしながらもう一度「助けて」の口をしてから、ミニバンの後部座席を指さして、指を六本立て、二本を素早く動かして、六人逃げたと伝えようとした。マコヴィッチは眉をひそめて考え込んだ。後部席に六人乗っていて、そいつらが走ってる？　そうか。さっき六人が脱走したという拘置所はここからそれほど離れていない。それに、やましいところがないなら、外から見えないように隠れているわけがない。

マコヴィッチは無線機を取り上げて応援を呼ぶと、派手な服装のドライバーに車を路肩に寄せさせるようフーターに合図した。

「こんなときに悪いんだけど」フーターはバービーに言った。「トイレに行きたいの」

「やめてくれよな」後部席の床からキャットのあせった声がした。「止まるわけにいかないだろ、この渋滞から出て、サツのいないとこにいくまで」

「わかってないんだね、あんた」フーターがキャットの頭上から声をかけた。「女の人が止めてって言ったら、止めてってことなの。あたしの言いたいこと、わかる？　あんたのママはどんな育て方したんだろうね？　女の人の月のもののこと、なにも教えてくれなかった？女の人が機嫌よく車に乗ってたら、突然、まだ二日も先のはずなのに、なってしまうことがあるって教えてくれなかった？」

床にうずくまった男たちは黙り込んだ。

「だから、悪いけど、そこのヘスのガソリンスタンドに止めて。大急ぎで行ってくるから。おなかが痛くならないといいんだけど。ああ、神様、生理痛にならないようにしてください」

バービーは心配のあまり、ミニバンに脱走囚を乗せていることを一瞬忘れていた。若いころは自分も生理痛に悩まされたから、それがどんなに耐え難いもので、心身を消耗させるかよくわかっていた。右折の方向指示を出して、フーターの腕に手を伸ばして慰めようとした。

「このまま進むんだ」トレーダーが命令した。

「痛み止めは持ってないの?」バービーはフーターに聞いた。

「あ、ああー」フーターは下腹部をさすりながらうなった。「うーん、持ってないわ。だって、急になるなんて思わなかったもの。あーあ、なんでよりによってこんな日に……」

「かわいそうに」ジャスティス牧師が同情に堪えないという声を出した。床のカーペットの埃《ほこり》を吸い込みながら、キャットの足を顔からどけた。「神さまがあなたを苦痛から解放してくださるように祈ろう。おお、神よ……」そこで二回つづけてくしゃみをした。「あなたのしもべなるこの女性を、大いなる苦痛から救いたまえ。イエスの御名において、あなたの癒しをお願いいたします」

「うーん、うーん」フーターはさっきより大きな声でうなった。ミニバンはレース場に向かう車の列にはばまれて、さっきからほとんど進んでいない。レースファンはみんないらいらしながら、開会式に間に合うか、轟音をあげてトラックに飛び出してくるペースカーや空軍のF-16戦闘機の編隊飛行を見逃さないかと心配していた。

「わかった、わかったよ」スリム・ジムが言った。この世でなにより耐え難いものがあるとしたら、それは生理痛に苦しむ女の声を聞きながら、あとで良心の呵責《かしゃく》に苦しむのではないかと怯えていることだ。「止めてやるから、急いでくれよ。人の注意を引くようなことを言ったりしたりするんじゃねえぞ」

マコヴィッチはミニバンの隣を走りながら、フーターの様子を見守っていた。苦しんでる。怪我でもしたんだろうか。すぐに病院に運ばないと。マコヴィッチはあわてた。脱走囚のだれかに手製のナイフで刺されたのだろうか。なんとかしないと、出血多量で死んでしまうかもしれない。

「すみません」モーゼスが知事に向かって声を張り上げた。

「どうした？」知事が目をさまして聞いた。

「この仔馬の蹄がわたしの足に乗っかっていて動けないんです」迷惑をかけたくはなかったが、足が折れるんじゃないかと心配だったし、それに、なにより痛くてかなわなかった。

レジャイナは命令の一覧表をどこにしまったか思い出そうとして、官邸に忘れてきたことに気づいた。たしか、蹄をあげさせる命令の文句があったはずだ。なんと言うのだったっけ？

「寄って」レジャイナは言ってみた。

トリップは近寄れという意味だと解釈して、主人である知事に近づいた。

「痛い！」モーゼスが悲鳴をあげた。馬がギプスの腕にぶつかってきたうえに、もう一方の足を踏んだのだ。「泣き言は言いたくないが、これじゃ病院にいるときとおんなじだ」

「ライト」レジャイナはあわてて、思いついた命令を口にした。「すぐなんとかするわ」

トリップは右まわりして、包帯を巻いたモーゼスの頭を窓に打ちつけた。モーゼスはまた悲鳴をあげて、車からおろしてほしいと頼んだ。

「タクシーを拾って、帰って寝ます」彼は馬を押しのけようとしながら言った。

「止めてくれる？」レジャイナは大声でマコヴィッチに言うと、デニムのスカートを引っ張った。サイズが少し小さめで、すわっているうちにずりあがってきて、太い腿があらわになってしまうのだ。「ミスター・カスターは気分が悪いから、おりたいって」

「おりて、どこへ行くんですか？」マコヴィッチはミニバンに近づきながら聞いた。

「帰る《バック》のよ」レジャイナが叫ぶと、トリップはバックして今度は全体重をモーゼスの両足にかけた。

「ぎゃあーっ！」モーゼスが絶叫した。

「うーん」フーターのうめき声を聞きながら、バービーがようやくヘスのガソリンスタンドに車を入れると、すぐあとから知事の一行が続いて、その後ろに車をとめた。

周囲のレースファンたちもこの機会に小休止することにしたのか、青いライトをつけた先頭のリムジンとそのあとに続いた三台の黒光りする車に見とれている。ドアが開いて、知事と、奇妙なヘアスタイルの太った娘、病人らしい男、それに小さな赤毛の馬が出てきた。私服の上着の下に銃を隠した運転手たちに続いて、知事のほかの家族も新鮮な空気を吸いに出てきた。

知事がトリップのハーネスを握って、そろそろと二、三歩歩くあいだに、マコヴィッチはミニバンに駆け寄った。ブーターが飛び出してきて、腕を振りまわしながら大声を出した。

「助けて！　脱走犯に誘拐されたの」ブーターは叫んだ。ビールを買うために、あるいはすでに飲んだビールを体外に出すために車をおりたNASCARファンたちが、いっせいにはやしたてた。

スリム・ジム、スティック、クルス・モラレス、トレーダー、キャット、そして、ジャスティス牧師は後部席の床から跳ね起きて、ちりぢりに逃げ出した。そのうち二人はババ・ラヴィングに組み伏せられた。マコヴィッチはクルスとスティックのシャツの後ろをつかんだが、キャットは追っ手から身をかわして、まっすぐ知事のところに走った。人質にするつもりだったのだ。レジャイナはまだ州警察の研修生であることを思い出して、ここは腕の見せどころだと張り切った。「かかれ！」トリップをけしかけた。

トリップはこんな命令をかけられたことがなかったから、なにもせずに突っ立っていた。知事はめんくらって目を細めながら拡大鏡を探している。レジャイナは小さいころは手に負えない乱暴な子どもで、官邸の使用人や家族に頭突きを食らわせて喜んでいたのだが、いましもその本能がめざめた。そして、ナスコイフのヘルメットスタイルの頭を低くさげ、赤いエナメルのハイトップのテニスシューズで地面を蹴ると、いきおいをつけて突進した。キャットの股間に頭突きを入れてよろけさせると、突き飛ばして正面からトレーダーにぶつけた。それから、二人に襲いかかって、胸を殴りつけ、雄たけびをあげながら、二人の頭をぶつけて締め上げた。フーターが加勢に駆けつけ、周囲のNASCARファンはこの勇敢な娘に喝采を送って、もう一度頭突きを食らわせ、足を踏みつけ、どっかに投げ飛ばしてしまえと叫んだ。

スモークはアンディの頭に銃を突きつけながら、アンディとハマーが言われたとおりにしないのなら、ポパイを殺すと脅しつづけていた。

「おまえらが銃持ってるのはわかってんだ。さっさとよこせ」スモークがマイクを通して命じた。

なにがあってもヘリを飛ばせ。アンディは自分に言い聞かせた。

「よこせって言ってるだろうが」スモークの非情な声がヘッドセットに響いた。

「操縦中だ」アンディは答えた。「操縦には両手両足が必要だ。銃を探してる余裕なんかない。地上におりてからだ」

「わたしは武器は持ってない」ハマーは答えながら、もしいま振り返って、ハーレーのトートバッグに隠してある九ミリ口径の銃でスモークを撃ったらどうなるだろうと考えた。得策とは思えなかった。これだけの至近距離からならはずすことはないだろうが、ハマーが撃ったためにスモークがアンディを撃ってしまったら、彼女が操縦しなければならなくなる。だが、ヘリコプターの操縦などできない。それに、もし弾丸がスモークの体を貫通してヘリコプターに孔を開けたら、大変なことになる。へたをすれば、そのまま墜落してしまうだろう。ハマーは窓から暗い水面を眺めた。ジェームズ川がチェサピーク湾に流れ込んでいるところを見ると、溺死するのではないかという恐怖に襲われた。

「おとなしくすわってなさい」ハマーは容疑者だけに向ける強い口調で言った。「湾の上空を飛んでいるのに、操縦ミスでもしたらどうなると思う？　落っこちたら、全員、溺死よ。ヘリコプターのなかに閉じ込められて、いくらドアをどんどん叩いて死に物狂いで開けようとしても、水圧でどうしても開けられない。つまり、真っ暗なキャビンでもがいているうちに、氷みたいな海水がどんどん流れ込んできて、じわじわと死ぬわけ」

「なあ、スモーク、落ち着いてくれよ」クーダが哀願した。「頼むよ。おれ、溺れ死ぬのはいやだ」

ポッサムはポパイをしっかりと旗でくるんで抱き締めていた。スモークはシートに戻って、注射器をもてあそんでいる。ユニークはまばたきもせずにアンディの首筋を見つめていた。ボックスカッターをきつく握り締めているので、爪が手のひらに食い込んで血が出ていた。だが、痛みはまったく感じなかった。心の暗黒から湧きあがってくる熱風とめくるめくような興奮に心を奪われていたからだ。

アンディは航空図を調べて、無線機をパタクセント地域の周波数に切り替えた。しばらくすると、軍の管制塔につながった。「こちらヘリコプター・デルタ・ブラボー」アンディは言った。

「デルタ・ブラボー、どうぞ」管制塔から応答があった。

「立ち入り禁止区域六六〇九および四〇〇六の禁止令は解除されましたか?」

「いや」

「高度一〇〇〇での航行許可を求めます。タンジール島に緊急着陸する」

「許可できない」アンディの予想どおりの答えが返ってきた。

「了解」そう言うと、アンディはハイジャックされたと知らせる暗号七五〇〇を自動送受信機《トランスポンダー》に入れて、ハマーにOKの合図として親指を立ててみせた。

許可がおりなくても、立ち入り禁止区域を航行するつもりだった。そして、パタクセントの管制塔がレーダーで侵入機をとらえ、テールナンバーを確認して、ハイジャックされたヘリコプターだと気づいたら、空軍が動き出すだろう。アンディはトルクをあげて、一七〇ノットの対地速度でヘリコプターを推進させてくれる追い風に感謝した。十五分後にはパタクセントの空域に入った。

ほっと一息ついて、430を自動操縦に切り替えた。これでアンディの両手両足が自由になったことなどスモークにわかるはずがない。アンディはそっと手を伸ばして、アンクル・ホルスターからピストルを抜き出した。それにならってハマーもバッグから九ミリ口径の銃を取り出し、二人ともそれを脚の下に隠した。スモークがまた座席から立ちあがってコックピットをのぞき込まないかぎり、なにもわからないだろう。


フォニーボーイとドクター・フォーも、なにもわからなかった。ジャンダーズ・ロードに立ってあたりを見まわしても、人っ子ひとりいない。小さな家々の灯は消え、冷え冷えとした真っ暗な道路にはゴルフカートも自転車も一台も走っていない。フォニーボーイとドクター・フォーが郵便船で着いたときから、島はずっとこうだった。郵便船の船長を買収して、黄色いブイのついたカニ捕り籠を探させるという計画は、結局うまくいかなかった。

「きっと『歓喜の時』がきたんだ。みんな天国に昇ったんだよ」フォニーボーイが言った。「おれ小さいときからずっと『歓喜の時』の話を聞いてきたから、本気でそう信じていた。おれたちが残されたのは天国にふさわしくないからだ、いっぱい罪を重ねてるから」

「くだらん」歯医者はいらいらして言った。

彼は空腹で、寒くて、疲れていた。島中の人間が漁船に乗ってトーリーの財宝を探しにいったところを想像した。沿岸警備隊に一網打尽にされて、いまごろどこかにぶちこまれているのだろうか。それとも、島の連中はなんらかの方法で警備隊を抱き込んだのだろうか。なにがあったかわからないが、ドクター・フォーはいつになく怯えていた。ただ利益をあげるためだけにカルテをごまかしたり、医療保険を水増し請求したり、子どもを騙したり、悪くもない歯をいじったりしなければよかった。

やっとフォニーボーイの家にたどり着いたが、ここにも人けはなかった。

「母さんは料理したり、皿洗いしたりしてるはずなのに。暗くなってから出かけたことなんかないよ」フォニーボーイはますます不安を募らせた。「やっぱり、イエスさまが雲に乗っておりてきたんだ。みんな、天国に行ったんだよ、おれたち以外」

「やめろ」歯医者は言った。「だれも雲に乗って天国になんて行くもんか。あれはおとぎ話だ。きっと、なにかわけがあるはずだ。おまえの家のゴルフカートで島をまわってみよう。空港にいけば、なにかわかるかもしれん」

だが、ゴルフカートの電池は切れていて、フォニーボーイはまたそれがなにか不吉な前兆か、もしかしたら天罰かもしれないと不安がった。

「歩いていくしかないな」ドクター・フォーはそう言うと、来た道とは反対方向の、沼地を突っ切っていく道を歩きだした。「たしかに変だ。みんなが漁船で宝探しに行ったのなら、船が出払っているはずなのに、さっき郵便船が着いたときには、波止場にいっぱい船があった」

「しーっ」フォニーボーイが唇に指を当てた。「ヘリコプターの音だ。きっと沿岸警備隊だよ」

歯医者は耳をすませた。回転翼の音が遠くから聞こえてくる。だが、なにかほかの音も混じっている。

「歌声だ」彼は言った。「聞こえるだろ、フォニーボーイ」

二人は立ち止まって、潮風に髪をなぶられながら耳をすませた。ごくかすかな賛美歌が風に乗って漂ってくる。

「スウェーン記念合同メソジスト教会からだよ、大通りの」フォニーボーイが息をつめて言った。「けど、なんでだろう。教会の集まりは土曜の夜はないのに」

フォニーボーイとドクター・フォーは、歌声のする方向に急いだ。ヘリコプターの音は次第に大きくなって、星をちりばめた夜空に明るい光が二つ現れて、西のほうから近づいてきた。フォニーボーイは走り出した。ドクター・フォーがどんどん遅れても振り返りもしなかった。

「待ってくれ。おい」ドクター・フォーは呼びかけた。「いや、もういい。飛行場に行くことにしたから。ヘリコプターが来るなら、それでこんなところから逃げ出せるかもしれん」

フォニーボーイはこんなに走ったのは生まれて初めてだった。息を切らせ、汗びっしょりになって、教会の階段を駆けのぼると、いきおいよくドアを開けた。一瞬、自分の目が信じられなかった。島の人間はひとり残らず教会に集まっていた。電気を消して、みんな蠟燭を持っている。伴奏なしで「アメイジング・グレイス」を歌っていた。フォニーボーイはその場に立ちつくして、呆然と見つめた。なにか恐ろしいことが起こったのだろうか。ひょっとしたら、いいことかもしれない。「歓喜の時」が近いのを知って、みんなで雲に乗ったイエスさまを待っているのかもしれない。でも、やっぱり変だと彼は自分の考えを打ち消した。どうしてだれもトーリーの財宝を探しにいかないんだろう？　あんなにヘリコプターの音がしてるのに気にもとめないんだろう？　エンジン音は教会のなかにいてもはっきり聞こえるほどになっていた。フォニーボーイはポケットからハーモニカを取り出した。しっかりと両手で握り締め、精いっぱい口をすぼめ、体を折り曲げ、リズムに合わせて足踏みしながら、即興でブルースを吹きはじめた。

歌声がぱったりやんで、クロケット牧師が説教壇にのぼった。ちらちら揺れる小さな炎の海を見まわした。

「だれだ、ハーモニカを吹いているのは？」牧師は聞いた。

「ぼくはもう流されてなんかいない」フォニーボーイは即興の歌を歌うと、またハーモニカを吹いた。「日曜にいい靴はいてめかしたりできないけど、心は自由だ。だから、貧しくなんかない」

息を呑む音がひろがって、あちこちから声があがった。神をほめたたえよ。ありがたいことだ。イエスさま、これは奇跡です。フォニーボーイの母親が信者席からよろめきながら出てきて、息子を両腕に抱き締めた。次の瞬間には、父親が息子を高々と抱き上げた。潮風でかさかさになった頬に涙が流れている。島の人びとはトーリーの財宝と歯科医の逮捕を聞いて、フォニーボーイは死んだと思い込んだ。フォニーボーイのことはひとことも出てこなかったので、あの欲張りのドクター・フォーに海に突き落とされたのだろうと思ったのだ。

「さあ、手をたずさえて、ともに神をたたえよう」クロケット牧師が高らかに宣言した。

「神はみめぐみを垂れたまい、溺れ死んだこの少年に命の息を吹き込んでくださった」

「神をほめたたえよ！」フォニーボーイの母が叫んだ。「あたしたちのかわいい息子を生き返らせてくださった」

「おれは溺れ死んでも死ぬもんか」フォニーボーイはめんくらいながらも感激していた。島の人びとがおそらく毎晩、教会に集まって、海で遭難した彼のために祈ってくれていたことがだんだんわかってきた。「歯医者が連れてきてくれたんだ、日が落ちてすぐ」

信者のあいだにざわめきがひろがると同時に頭上でヘリコプターの轟音がして、教会の屋根が揺れた。

「なんだって」クロケット牧師が声をあげた。「あの歯医者が島に戻ってきたのか？」

「ちがうよ」フォニーボーイはタンジール島風にあべこべを言った。

「どこにいる?」

「空港に向かってた」フォニーボーイは答えた。

「あの本土のろくでなし。あいつ、あたしの歯を全部抜いたんだよ」ミセス・プルーイットが轟音に負けない声で言った。

「あたしだってそうさ」

「おれだって」

「そうとも、わしもそうだ」

「あいつ、ヘリコプターで逃げる気じゃないか?」

怒りの合唱が耳をつんざくほどになって、フォニーボーイはそれ以上説明できなくなった。島中の人間がうちそろって教会を出て、決然とした蠟燭行列が空港めざして進んでいった。空港までは徒歩で五分。島ではなにもかもさほど離れてはいないのだ。

二機のブラック・ホークからおりた戦闘服の兵士たちは、小さな炎の行列がこちらに向かってくるのを見た。島の上空一五〇〇フィートを飛んでいたアンディがその不思議な光に気づいたのと同時に、ユニークがボタンを押してボックスカッターの刃を出した。

「地上はどうなってるの?」ハマーが思わず口にしてしまった。

「おかしなまねはしないほうが身のためだぞ」スモークがそう言いながら、窓の外をのぞいた。空港に向かう光の海。巨大な二機のブラック・ホーク。「なにをしやがった？　あれはなんだ？　どういうことだ？」

ポッサムの目はスモークが握っている注射器に釘づけになった。スモークがどんなやつかよく知っていたから、次になにが起こるか予測できた。ヘリコプターが無事に島におりた瞬間、スモークは旗の上からポパイに殺鼠剤を注射し、ハマーとトルーパー・トゥルースを撃ち殺すだろう。そして、クーダとポッサムはこのわびしい島で永遠にスモークの手下にされるだろう。突然、ポッサムはユニークが発作を起こしたみたいに体を震わせながらシートベルトをはずしたのに気づいた。

「あばよ、ポパイ」スモークが底意地の悪い声でからかいながら、注射器のオレンジ色のキャップをはずした。

「よせ、ユニーク！」ポッサムが叫んだ。反射的にアンディはポッサムがEメールでモーゼスの傷のことを「あれはユニークだ」と書いていたのを思い出した。そして、モーゼスが天使が出てきて「ユニークな経験」をさせてあげると約束したと言ったことも。

「メーデー」アンディはマイクに向かって遭難救助信号を叫ぶと、速度を落とし、ヘリコプターの機首をさげて、サイクリック・ピッチレバーを右側に引いた。次の瞬間、ヘリコプターがぐるりと回転した。警報が鳴り響き、非常灯が点滅し、ヘリコプターが奔馬のように上下左右に激しく揺れる。

「墜落姿勢をとれ！」アンディはインターコム越しに叫ぶと、スロットルレバーをアイドリングに戻し、コレクティブ・ピッチレバーをいちばん下までさげて、揚力だけでヘリコプターを滑空させて墜落するのを避けた。

飛行中にスロットルを切ったのはこれが初めてではなかった。アンディは定期的にオートローテーションの練習をしていて、それが得意だっただけでなく、エンジンの助けを借りずに四トンのマシンを着陸させるスリルがなによりも好きだったのだ。彼のもうひとつの得意技は、地上三〇フィートまで降下してから、またスロットルを入れて上昇することで、それも披露することにした。ヘリコプターは突然、アクロバット離陸して、夜空に舞い上がった。五〇〇フィートまであがると、アンディはまたスロットルを切って、ハマーに笑いかけた。ふたたび警報がけたたましく鳴ると、もう一度オートローテーションで地上に向かった。そして、この離れ業をあと三回おまけでやってみせた。やっと着陸装置をさげて地上に降りたときには、案の定、スモークもクーダもポッサムも死人のように真っ青な顔をして胎児のように体を丸め、ユニークは床にころがって気を失っていた。

「ぼくはスモークを引き受ける。女のほうを頼みます」アンディは回転翼が吹き上げる疾風のなかでハマーに叫ぶと、後部席のドアを開けた。「気をつけて。その女は切り裂き魔だ」

アンディはスモークに銃を突きつけた。スモークは朦朧として、とっくに銃を手から離していた。アンディはこのモンスターをキャビンから引きずり出すと、ぼろの袋のように滑走路に投げ出し、ハマーはユニークを起き上がらせた。蠟燭の海が二人のまわりで揺れ、軍の兵士たちが駆け寄ってきた。

「海賊だ」アンディはきょとんとしている島民たちに告げると、スモークに手錠をかけた。ハマーが、まだ半ば意識を失ってよだれを垂らしているユニークの足首と背中にまわした手にプラスチックの拘束具をはめた。

「申しわけない」アンディは兵士たちに言った。「銃を突きつけられてやむなく立ち入り禁止区域に侵入してしまったが、ぼくがわめいた遭難救助信号で、事態は理解してもらえたと思う。ほかの海賊を逮捕するのを手伝ってもらえるのなら、袋に吐いているやつを頼む。小さいほうは放っておいていい。彼はジェレミア・リトルという少年で、罪のない人質だ。いっしょにバージニアに連れて帰る」

「430の操縦はできる。よかったら、操縦しようか？」兵士のひとりが言った。

「それはありがたい」アンディは言った。ポパイはハマーの顔にキスの雨を降らせている。ドクター・フォーがそっとハマーに近づいて、黒い革ジャンの背中をもったいぶったしぐさで叩いた。

「なにがあったのか存じませんが、ワンちゃんが無事に戻ってほんとうによかった。ペットは子どものようなものですからね。わたしも猫を飼っているから、よくわかる」ドクター・フォーはハマーに言った。「わたしもいっしょにバージニアに帰るのがいちばんだと思うのですが。すぐ帰られるのでしょう?」

「そうだ、さっさと連れていけ」クロケット牧師が命じた。「この男とは二度とかかわりたくない。逮捕しろ」

「とんでもない!」島民が声をそろえて島特有のあべこべの言い方をした。「さっさと本土に連れていけ」彼らはヘリコプターの回転翼の轟音に負けない大声を張り上げて合唱した。

おめでとう、ドニー・ブレット！

トルーパー・トゥルース

レースファンのみなさん、ゆうべは本当にすばらしかった。

ひとつ残念なニュースをお伝えしなければならない。あのトーリーの財宝は発見できなかった。少なくとも、あの黄色いブイが示していた場所にはなかった。おそらく、あのブイは湾内の潮に流されただけだったのだろう。潮が引くと、バージニアの沿岸一マイルのところで海藻に引っかかっていたカニ捕り籠が発見された。だが、島の人びとにとってなによりの宝はフォニーボーイであり、なによりも慶賀に堪えないのは、研修生のレジー州警察官が奮闘した末に脱走犯を逮捕したことである。

それに、われらがドニーの快挙。実は、筆者は昨夜はある事件にかかりきっていて、残念ながらレース場には行けなかったのだが、テレビでは見たし、収録したビデオを何度も何度も見た。彼がナンバー4と並んで走っていたとき、四周目で事故が発生してナンバー33のシボレーがリタイアし、現状のままで七周し、残り九十四周をやり直すことになった。そのときドニーが危険な賭けに出て、このチャンスをものにしたのである。

レースファンの読者諸氏よ、たしかに彼は一度はスピードを落とした。しかし、その直後に弾丸のように疾走し、直線コースでナンバー4を追い抜き、そのまま最後までトップを守ったのである。

「とにかく、よけいなことは考えないようにしたんだ」シャンパンで祝杯をあげながら、ドニー・ブレットは晴れ晴れとした顔で語った。「もういっぺん楽しんでやろう、負けることばっかりくよくよ考えるのはよそうと思ったんだ。わざわざトレーラーに来てくれたあの警官に礼を言いたいよ。名前も知らないが、あんたのおかげだ。ここにいるみんなにも、あの警官が言ったのと同じことを言いたい。人間、どんなときでも新たなチャンスがある。それを精いっぱい生かすことだ」

さて、ここで忠実な読者諸氏にもうひとつニュースを伝えなければならない。このへんで筆者も新たなチャンスに挑戦しようと思う。声を大にすべき時もあれば、沈黙すべき時もある。このコラムはこれが最後になるだろう。またいつの日かみなさんに再会できるときがあるかもしれないが、いまはそれはわからない。このところ身辺でさまざまなことが起こり、それにかたをつけ整理する時間が必要になったのだ。

メールは今後も受けつけるつもりなので、筆者を啓蒙し、この世界を住みよい場所にするためのみなさんの努力に大いに期待したい。だが、返事を出さなくても、気を悪くしたり、筆者が気にもとめていないなどと思わないでいただきたい。「すべて人にせられんと思うことは人にもまたそのごとくせよ」という黄金律を思い出し、耳を傾ける気持ちさえあれば、どんな小さな世界にも、そして、この世のすべてのものに語るべきストーリーがあることをどうか忘れないでほしい。

街ではご用心を！

（完）

訳者あとがき

『スズメバチの巣』、『サザンクロス』に続く、コーンウェルの新シリーズ第三作『女性署長ハマー』は、前作にひきつづきバージニア州都リッチモンドを舞台とした奇想天外な小説です。

主人公はリッチモンド市警察署長からバージニア州警察署長となったジュディ・ハマー、ハマーとともに州警察に移ったアンディ・ブラジル。前回までは重要な登場人物だった署長補佐のヴァージニア・ウエストは、シャーロットにいるらしいとわかるだけで直接には出てきません。これまでの二作に見られた作者の遊び心が今回はさらに存分に発揮されて、ユーモラスな楽しい作品に仕上がっています。

メインプロットは『サザンクロス』に登場したスモークとその仲間のティーンエージャーたちが引き起こす連続強奪殺人事件ですが、それと並行して、ブラック・ユーモアとナンセンス・ジョークに満ちたさまざまなエピソードが語られます。どちらかといえば、著者はそれが書きたかったのではないでしょうか。生き生きと、徹底して、そして、たぶん楽しんで書いています。スピーディな場面展開のあいだに、アンディがハンドルネームでインターネットに掲載するコラムが紹介されるのですが、これがまた絶妙のタイミング。しかも、ストーリーにも重要な役割を果たします。歴史や考古学など博識ぶりを披露しながら、いつのまにか現実の壁を通り抜けて一種独特の世界に読者を引き込んでいく。このあたりはさすがです。ひょっとしたら、コーンウェルは新聞記者だったころ、こんなコラムが書きたかったのかもしれません。

これも前回までと同様、登場人物はそれぞれの特徴を誇張したカリカチュアで、不思議な力の持ち主のユニーク、悪徳歯科医のドクター・フォー（いんちき）、おびえると死んだふりをする気弱なポッサムなど、象徴的な名前がつけられています。それでいて、それぞれが人間味にあふれ、いつかどこかで会ったことのあるような親しみを感じさせます。

そして、ついにドクター・ケイ・スカーペッタの登場。まだ公私ともに張り切っていたころのスカーペッタが、おなじみのモルグに白衣姿でさっそうと現れます。もっとも、こちらは一種のパロディで、「こんなにきれいで才能もある人が、どうして生活のために死体なんか相手にしなければならないのだろう」と不思議がられていますが。『検屍官』シリーズといえば、『接触』に出てきたタンジール島が、今回はリッチモンドに次ぐ大切な舞台になっています。この島の住人たちの特有の言葉づかいを駄洒落にして、とりちがえギャグ続出の軽妙な会話が飛び出します。そういう意味で、この小説は全体が言葉遊びのような作品なのです。

『警告』、『審問』と『検屍官』シリーズでシリアスな作品が続いたので、コーンウェルはちょっと気分を変えてみたかったのでしょう。州知事一家をめぐるコメディー、タンジール島民の反乱騒ぎ、改造自動車のカーレースなど、多彩なシーンを繰り広げながら、最終的には納得のいく形でおさまりをつけるところは、いつもながらこの著者の力量を感じさせます。内面を深刻に掘り下げるときも徹底しているなら、はめをはずすときも半端ではありません。冗談を言うにもまじめというか、エネルギッシュな人ですね。

この本の翻訳にあたっては、講談社文庫出版部の皆様、とりわけ谷章氏、小林龍之氏、長村キット氏にたいへんお世話になりました。この場をお借りしてお礼を申し上げます。

二〇〇一年十一月

矢沢聖子

|著者|パトリシア・コーンウェル　マイアミ生まれ。警察記者、検屍局のコンピューター・アナリストを経て、1990年『検屍官』で小説デビュー。MWA・CWA最優秀処女長編賞を受賞して、一躍人気作家に。バージニア州検屍局長ケイ・スカーペッタが主人公の検屍官シリーズはDNA鑑定、コンピューター犯罪など時代の最先端の素材を扱い読者を魅了、1990年代ミステリー界最大のベストセラー作品となった。

|訳者|矢沢聖子　神戸市出身、津田塾大学学芸学部卒業。商社勤務、特許関係の翻訳などに携わり、翻訳家に。訳書にウォーカー『処刑前夜』『神の名のもとに』『すべて死者は横たわる』、ウエスト『黄昏《たそがれ》の北京』、マッシー『雪 殺人事件』、サンダーズ『心理捜査』(いずれも講談社文庫)などがある。

女性署長《じよせいしよちよう》ハマー (下)

パトリシア・コーンウェル|矢沢聖子《やざわせいこ》 訳

講談社文庫

定価はカバーに
表示してあります

2001年12月15日第1刷発行

発行者——野間佐和子
発行所——株式会社 講談社
東京都文京区音羽2-12-21　〒112-8001
電話 出版部 (03) 5395-3510
販売部 (03) 5395-5817
業務部 (03) 5395-3615

デザイン—菊地信義
製版——凸版印刷株式会社
印刷——凸版印刷株式会社
製本——株式会社若林製本工場

Printed in Japan

落丁本・乱丁本は小社書籍業務部あてにお送りください。送料は小社負担にてお取替えします。なお、この本の内容についてのお問い合わせは文庫出版部あてにお願いいたします。(庫)

ISBN4-06-273325-0

講談社文庫刊行の辞

二十一世紀の到来を目睫に望みながら、われわれはいま、人類史上かつて例を見ない巨大な転換期をむかえようとしている。

世界も、日本も、激動の予兆に対する期待とおののきを内に蔵して、未知の時代に歩み入ろうとしている。このときにあたり、創業の人野間清治の「ナショナル・エデュケイター」への志を現代に甦らせようと意図して、われわれはここに古今の文芸作品はいうまでもなく、ひろく人文・社会・自然の諸科学から東西の名著を網羅する、新しい綜合文庫の発刊を決意した。

激動の転換期はまた断絶の時代である。われわれは戦後二十五年間の出版文化のありかたへの深い反省をこめて、この断絶の時代にあえて人間的な持続を求めようとする。いたずらに浮薄な商業主義のあだ花を追い求めることなく、長期にわたって良書に生命をあたえようとつとめるところにしか、今後の出版文化の真の繁栄はあり得ないと信じるからである。

同時にわれわれはこの綜合文庫の刊行を通じて、人文・社会・自然の諸科学が、結局人間の学にほかならないことを立証しようと願っている。かつて知識とは、「汝自身を知る」ことにつきていた。現代社会の瑣末な情報の氾濫のなかから、力強い知識の源泉を掘り起し、技術文明のただなかに、生きた人間の姿を復活させること。それこそわれわれの切なる希求である。

われわれは権威に盲従せず、俗流に媚びることなく、渾然一体となって日本の「草の根」をかたちづくる若く新しい世代の人々に、心をこめてこの新しい綜合文庫をおくり届けたい。それは知識の泉であるとともに感受性のふるさとであり、もっとも有機的に組織され、社会に開かれた万人のための大学をめざしている。大方の支援と協力を衷心より切望してやまない。

一九七一年七月

野間省一

講談社文庫 最新刊

パトリシア・コーンウェル 矢沢聖子 訳
女性署長ハマー(上)(下)
『スズメバチの巣』『サザンクロス』に続くシリーズ第3弾に検屍官スカーペッタが登場!

森 博嗣
森博嗣のミステリィ工作室
著者によるS&Mシリーズ全作解説や同人誌時代の漫画も収録した森ファン必携の1冊。

峰 隆一郎
飛騨高山に死す
パズルのような完全犯罪に挑む女たらしの悪漢探偵・鏑木一行最後の事件。トラベル推理。

新津きよみ
アルペジオ
〈彼女の拳銃 彼のクラリネット〉
女は拳銃に命を賭けた、男は楽器に夢中だった。出会ってはいけない男と女のミステリー!

北森 鴻
花の下にて春死なむ
孤独死した俳人の部屋の窓辺で、桜はなぜ季節はずれに咲いたのか? 連作ミステリー。

千野隆司
逃亡者
女房を犯した男を殺した燐之助。弟の復讐を誓う辰次郎。二人の憎悪と絶望が激突する。

藤野千夜
おしゃべり怪談
若者達の日常に潜む、見えない心の綻《ほころ》びをリリカルに描く、野間文芸新人賞受賞の作品集。

青木奈緒
ハリネズミの道
幸田露伴、文、青木玉の血を継ぐ若き感性が、南ドイツの学生寮での日々を、瑞々しく描く。

結城昌治
死もまた愉し
孤高の作家が死の直前に語った〝人生最後の志〟。生の真実を詠む珠玉の句集二冊も併録。

瀬戸内寂聴
わかれば『源氏』はおもしろい
〈寂聴対談集〉
丸谷才一、林真理子、橋本治、柴門ふみ、俵万智、篠田正浩他と語らう『源氏物語』の魅力。

講談社文庫 最新刊

佐藤雅美　揚羽の蝶 (上)(下)　〈半次捕物控〉
松平家の継嗣争いをめぐる陰謀に巻き込まれた岡っ引半次の活躍を描く、傑作長編捕物帳！

土屋賢二　哲学者かく笑えり
人間は「笑う」動物である。本書を楽しみ、笑うがよい。しかしそのまえに購入すべし。

佐川芳枝　寿司屋のかみさん とっておき話
旬の魚を味わい尽すレシピを大公開！ おまけに寿司の謎に迫るQ＆Aが付いてお得な一冊。

藤田紘一郎　サナダから愛をこめて　〈信じられない「海外病」のエトセトラ〉
狂牛病も炭疽菌もよく分かる！ 海外旅行で病気から身を守るための、お役立ちエッセイ。

蔵前仁一　旅人たちのピーコート
南インドの定食探求、香港の結婚式、沙漠の摩天楼イエメン……蔵前仁一のほのぼの旅日記。

川上信定　本当にうまい朝めしの素《もと》
鶏卵、味噌、豆腐、梅干など12の有機食材を徹底取材。取り寄せ情報付きルポ・エッセイ。

ジェーン・ハミルトン　紅葉誠一 訳　マップ・オブ・ザ・ワールド
幸せな家庭が陥った絶望からの再生を描く感動作。S・ウィーバー主演で映画化、来春公開。

ダグラス・ケネディ　玉木亨 訳　どんづまり
豪州を旅行中に拾った若い娘の身体を貪るニック。それは身も凍る悪夢の始まりだった。

橘蓮二　文・吉川潮　高座の七人　〈当世人気噺家写真集〉
昇太、たい平、花緑、志の輔、喬太郎、談春、そして小朝。平成の名人はここから生まれる。

嵐山光三郎　ざぶん　〈文士温泉放蕩録〉
日本の近代文学は温泉から生まれた。漱石、鷗外をはじめ、スター総登場の異色交遊録。

村上春樹・文　安西水丸・絵　ふわふわ
命あるものにとって、ひとしく大事なことを教えてくれた、年老いた大きな雌《めす》猫の物語。